FÉLIX LECLERC

Né à La Tuque, en Haute-Mauricie, en 1914, Félix Leclerc a d'abord été annonceur dans une station radiophonique de Québec, puis de Trois-Rivières, après des études au Juniorat du Sacré-Cœur et à l'Université d'Ottawa. Arrivé à Montréal, en 1939, il interprète sa première chanson sur les ondes de Radio-Canada où il se fait aussi connaître comme comédien. Il obtient un grand succès littéraire avec sa trilogie *Adagio*, *Allegro* et *Andante*, et avec ses pièces de théâtre. En 1950, il se produit sur la scène de l'ABC de Paris et est rapidement consacré vedette internationale. Lauréat du Grand Prix du disque de l'Académie Charles-Cros, à trois reprises, il obtient plusieurs distinctions au cours de sa prestigieuse carrière. Son prénom est associé à un trophée, le Félix, remis à l'occasion du gala annuel de l'Association de l'industrie du disque du Québec. Il meurt le 8 août 1988, à l'île d'Orléans, où il s'était réfugié dans les années 1960.

ADAGIO

Avant de se faire connaître sur les grandes scènes du monde francophone, Félix Leclerc avait su charmer une foule d'auditeurs puis de lecteurs avec une série de contes qui se présentent comme une symphonie en trois mouvements : *Adagio*, *Allegro* et *Andante*. Ces trois recueils de Félix, qui maîtrise toutes les techniques de l'art de conter, ont connu un succès sans précédent. *Adagio*, publié pour la première fois en 1942, regroupe dix-huit contes ou récits réalistes pour la plupart qui témoignent de l'idéologie de la société québécoise des années 1940. Félix, humaniste et philosophe, y chante entre autres thèmes la grandeur de l'amour, l'importance de la fraternité humaine, l'entraide et le partage, dans ce monde où, souvent, les déshérités sont des laissés-pour-compte. Il invite ses lecteurs à compatir avec les misères de ces êtres défavorisés et il dénonce, non sans poésie, leur triste sort.

D0974318

ADAGIO

FÉLIX LECLERC

Adagio

Présentation d'Aurélien Boivin

BIBLIOTHÈQUE QUÉBÉCOISE

BQ BIBLIOTHÈQUE QUÉBÉCOISE est une société d'édition administrée conjointement par les Éditions Fides, les Éditions Hurtubise HMH et Leméac Éditeur. BIBLIOTHÈQUE QUÉBÉCOISE remercie le ministère du Patrimoine canadien du soutien qui lui est accordé dans le cadre du Programme d'aide au développement de l'industrie de l'édition. BQ remercie également le Conseil des Arts du Canada et la Société de développement des entreprises culturelles du Québec (SODEC).

Conception graphique : Gianni Caccia
Typographie et montage : Dürer *et al.* (MONTRÉAL)

Données de catalogage avant publication (CANADA)
Leclerc, Félix, 1914-1988
Adagio
Éd. originale : Montréal, Fides, 1943.
Comprend des réf. bibliographiques

ISBN 2-89406-167-6

I. TITRE

PS8523.E27A63 1999   C843'.54   C99-940781-3
PS9523.E27A63 1999   PQ3919.L42A63 1999

Dépôt légal : 2ᵉ trimestre 1999
Bibliothèque nationale du Québec

IMPRIMÉ AU CANADA EN SEPTEMBRE 2005

Présentation

C'est par le récit bref que Félix Leclerc aborde la littérature et se constitue un public lecteur. Alors qu'il triomphe avec les Compagnons de Saint-Laurent, il décide, en 1943, de retoucher dix-huit contes qui avaient enchanté les auditeurs de la célèbre émission «Je me souviens» qu'il anime depuis 1941, sur les ondes de Radio-Canada. Ce sera *Adagio,* premier volet d'une trilogie qu'il poursuivra, l'année suivante, avec *Allegro,* fables, et *Andante,* poèmes. Au total, quarante-neuf récits bien comptés, et autant de textes que liront et reliront des générations de lecteurs, tant les jeunes que les vieux, tant les pauvres que les riches, car le conte, selon la philosophie de Félix Leclerc, doit enseigner, susciter la réflexion, rendre meilleur. Il est éminemment didactique et comporte souvent une leçon morale.

Pourtant, Félix Leclerc n'a retenu aucun de ces contes quand il a répondu à l'invitation de madame Simone Bussières, directrice de la collection «Le Choix de...» aux Presses Laurentiennes, en 1983. Voilà qui confirme la gêne, la réticence qu'entretenait Félix à l'égard de ses contes qu'il jugeait, comme certains critiques, par trop moralisateurs, voire nettement voués à l'édification religieuse et nationale. Il s'est d'ailleurs expliqué à ce sujet:

> *Je comprends très bien ceux qui m'ont reproché ce défaut. On ne connaissait que la morale, que la religion. Il y a beaucoup de religion, mais on ne pouvait faire autrement: c'est tout ce qu'on savait, c'est tout ce qu'on connaissait. J'ai été le Québécois le plus franc qu'il n'y a pas[1].*

Les contes de Félix Leclerc témoignent de l'idéologie d'une époque marquée par l'omniprésence du catholicisme, par l'importance qu'on accordait alors au didactisme et par la place réservée aux membres du clergé et des communautés religieuses dans la vie des Canadiens français comme ils s'appelaient, avant l'avènement de la Révolution tranquille et la prise de conscience, la remise en question que cette subite révolution suscite dans l'évolution des idées et des mentalités sur tout le territoire du Québec. C'est en ayant à l'esprit cette influence qu'exerçait à l'époque la religion sur le peuple et sur les penseurs qu'il faut aborder le recueil de Félix Leclerc, déjà préoccupé de l'importance de protéger la langue française, « la plus belle, la première, la plus riche, la plus grande parlure du monde » (« La Trace »), dont il s'est fait un ardent défenseur jusqu'à sa mort, et de rester fidèle aux ancêtres en défendant le pays contre les envahisseurs et les déserteurs, en assurant la protection de l'environnement.

Dans les contes de son premier recueil, Félix Leclerc, fidèle à ses humbles origines, met en scène des

---

1. Aurélien BOIVIN, André GAULIN *et al.*, « Félix Leclerc Entrevue », *Québec français*, n° 33, mars 1978, p. 37-40.

pauvres, des déshérités qui, souvent, parce qu'ils sont mal appuyés, parce qu'ils sont laissés-pour-compte devant l'indifférence des plus nantis, connaissent un destin tragique. Dans «Le Traversier», premier conte du recueil, il nous présente un vieillard qui accepte de quitter sa solitude pour raconter à la première personne, non sans regret et sans une certaine nostalgie, sa vie de «passeur» et ses amours malheureuses, après la mort de celle qu'il aimait tant mais qu'il a quittée un jour, bêtement attiré par une artiste de cirque. Abandonné par son entourage et sans aucune instruction sauf celle, riche, de la vie, Abel Moisson s'est fait voleur de bois, dans le conte du même nom, pour survivre et pour sauver son fils, menacé de tuberculose. En raison de son handicap mental, Cantique est le souffre-douleur de son entourage, une sorte de «fou du village». Après avoir été honteusement exploité, il est malheureux devant «la laideur de la vie». Il ne chante plus. Monsieur Scalzo, simple ouvrier à l'usine, se transforme, à tous les soirs, en jardinier et en accordéoniste, à la grande joie d'un groupe de jeunes, dont le narrateur, séduit par tant de beautés et de charmes. Grégoire Houle est un pêcheur pauvre, prêt à tout pour assurer l'avenir de son fils et de son pays («Le Feu sur la grève»). Norbert s'est exilé sur les terres neuves de l'Abitibi par jalousie pour les pionniers qui ont bâti le pays et pour oublier la fille riche qu'il aimait et qui l'a laissé tomber dès qu'elle a su qu'il était pauvre. Un autre jeune paysan est si profondément attaché à la terre qu'il décide, en accord avec sa nouvelle épouse, d'interrompre son voyage de noces à la ville pour retrouver la joie. Quant à Tanis, il n'a pas eu beaucoup de chance dans la vie depuis qu'une faucheuse lui a broyé les jambes alors qu'il avait à peine trois ans : depuis il est condamné à la solitude. On rencontre encore des paysans rudes mais combien courageux dans «L'Orage», «L'Écriteau», «L'Attente». N'est-ce pas Nazaire, l'ivrogne, qui convainc le curé et son vicaire de revenir sur leur décision et de continuer à exercer leur ministère dans la paroisse devant le désintéressement des paroissiens et leur manque de foi?

Tous ces personnages, sortis de l'imagination du conteur ou fruits d'une méticuleuse observation, ne poursuivent qu'un but: montrer la nécessité de la fraternité humaine. L'amour du prochain, premier grand commandement du Créateur, est omniprésent dans les contes de Leclerc, non seulement dans *Adagio* mais aussi dans *Allegro,* qui regroupe une vingtaine de contes d'animaux. Si Abel Moisson est transformé, lui, le raté, l'illettré, le sale, le laissé-pour-compte, c'est que le riche habitant Tancrède Labrise s'est laissé émouvoir par la triste histoire du voleur de bois et a accepté de lui tendre la main comme à un frère dans le besoin («Le Voleur de bois»). Même souci de compatir à la misère d'autrui dans le drame qui se déroule dans l'étable (*Allegro*) car l'amour est la plus grande des vertus. On a beau, comme le Tigre, être le roi du *derby*, il faut quand même savoir faire preuve d'humilité. Le chien vedette accepte finalement, après avoir songé à se révolter, d'aider le Barbu, son compagnon, à tirer le traîneau, à la suite de la mort du Noir, car il a compris que « ceux qui faisaient bien la vie quotidienne participaient au plus grand *derby* » *(*« Dans l'étable »). En dépit de la guerre que lui a déclarée son voisin, un paysan et son fils lui portent rapidement secours pour sauver ses bêtes menacées de périr dans l'incendie de la grange-étable (« L'Écriteau »). Un autre sage paysan n'hésite pas à offrir l'hospitalité (« Vous êtes chez vous », lui dit-il) à un huissier qui s'acharne, de par son triste métier, «le plus déplaisant du monde», à dépouiller les «pauvres diables qui ont des dettes» («L'Orage»). Un vieux prêtre fraternise avec un jeune collégien qui ne peut se rendre dans sa famille, à l'occasion des vacances de Noël: «Tu sais, tes guenilles, ta pauvreté, ta solitude, je connais ça par cœur, je me souviens; j'ai souffert et quand je te vois, je recommence. Partageons sans gêne, comme des frères malchanceux» («Pour ceux qui restent»). Quant à Cantique, c'est par manque de charité humaine qu'il est devenu le bouffon, la risée, le «fou du village».

Amour du prochain, mais aussi amour du pays. Les personnages de Leclerc ne sont pas insensibles aux dangers qui menacent le pays. Fidèle en cela à l'idéologie de l'époque, Félix Leclerc ne peut rester étranger au drame de ceux qui désertent le pays et qui affaiblissent ainsi la race. Devant le nombre de terres abandonnées dans son village, Alban Laforest — il porte bien son nom — a «mal au pays» car, pour lui, les «sept terres abandonnées sur une distance de vingt milles», c'est «sept fois cracher dans la face de nos aïeux. Sept fois le soleil qui se lève là, pour rien, tous les jours. Sept fois les vieux labours qui se sentent tisser sur le dos des toiles de chiendent. Sept souillures dans le canton. Sept lâchetés» («La Trace»). Partisan de l'attachement au sol, le conteur vante les mérites, les beautés de la terre, «sorte de sanctuaire [...] où il se fait des miracles», sans toutefois «s'allonger, rêvasser aux mirages». Félix est convaincu qu'il faut croire en la terre, au pays, s'enraciner pour vivre, pour survivre. Norbert, le héros du récit du même nom, l'a bien compris, qui a accepté de s'exiler en Abitibi, «bien loin [...] dans le nord, plus loin que la tempête de neige, plus loin que la dernière paroisse du dernier diocèse, dans l'éclaircie d'une forêt perdue où il n'y a ni téléphone, ni voisin, ni radio, ni restaurant» pour se faire humble «colon. Capitaine de la terre. Un défricheur qui a le courage de tous les marins de la nier [dont le] navire est de bois comme ceux de l'Atlantique, mais soudé à la glèbe qui est son océan». Seul, à six ans, avec la forêt, car il aime la terre, il a choisi «une terre à la hauteur de [s]a pauvreté, c'est-à-dire: sans rien dessus, vide comme [s]es poches : avec des trous seulement, de la misère et de la crasse de chiendent […] loin, dure, farouche, lutteuse » pour mieux l'apprivoiser. C'est d'ailleurs ce même amour de la terre qui force un jeune paysan à écourter son voyage de noces à la ville pour retrouver sa terre dont il s'ennuie car il sait depuis toujours que « ceux qui vivent avec le sol ont une vocation » (« Voyage de noces »).

Félix, on le voit, fait siennes les thèses patriotiques et messianiques de l'époque : on ne peut s'éloigner de la terre sans renier sa race, sa patrie («L'Attente»), les fils doivent marcher sur la trace des aïeux pour en être dignes («La Trace») car « il n'y a pas de pays sans grand-père », avouera plus tard Roch Carrier ; l'agriculture assure le bonheur à l'homme qu'elle rend meilleur («Norbert»). Jamais, toutefois, Leclerc ne tente de laisser croire que tout est facile sur la terre. Il ne tait ni les difficultés de la vie paysanne ni le courage dont il faut faire preuve pour triompher. Il ne se gêne pas, à l'occasion, pour dénoncer les travers des habitants, qui ne sont pas sans défauts, comme ont tenté de le laisser croire les romanciers agriculturistes. Damase Potvin en tête. Il condamne les querelles entre voisins à propos d'un droit de passage ou d'une infime bande de terrain. Dans «Par intérim», il fait le procès des Canadiens français en des termes non équivoques :

[...] nos hommes sont rares, on a des étincelles en
politique, en littérature, en musique, en peinture,
mais des feux clairs qui brillent, des feux de maître,
ce qui s'appelle maître insatisfait, chercheur af-
famé, qui crie juste et droit, qu'aucun vent peut
éteindre, on n'en a pas. On a des élèves contents
d'eux autres, un petit peu noceurs, sans haleine,
faciles à acheter. On a des désirs de beauté gros
comme des montagnes, mais instables comme les
nuages. La vérité : on se décide pas à vieillir, parce
qu'on se décide pas à s'unir ; on est divisés ; on est
craintifs ; on est chacun dans son coin comme des
vaincus. Voilà la vérité.

Discours qui rejoint les propos d'Abel Moisson qui
affirme, en présence de Trancrède Labrise, qu'[o]n « ne
s'aime pas. On se mange, on se lutte, on se bouscule, on
se cogne sur la tête. On se défend de réussir. Un gars qui
a les yeux plus haut que le troupeau, il reçoit un coup de
masse sur la tête pour que sa tête soit à l'égalité des
autres ». Ce personnage pauvre mais d'une grande sa-
gesse croit au vieux dicton « l'union fait la force » :

Si tous les Canadiens voulaient arrêter de mal par-
ler de leurs voisins, arrêter de cracher sur le nom
de celui qui est pas là pour se défendre, arrêter de
frapper sur la tête de celui qui grandit, arrêter de
se jalouser, arrêter de se darder dans le dos, on
serait surpris de la force qui sortirait de nous
autres pour des siècles à venir.

Félix Leclerc condamne encore la guerre entre les
peuples. Si « la guerre, c'est la souffrance », « un fléau de
Dieu, une chose épouvantable, un châtiment », c'est, en

même temps, «une grande méditation, un retour, dans le fond de nos âmes, à l'amour, un acte d'humilité en face de notre faiblesse, une occasion d'héroïsme et [...] une terre à germer des saints» («L'Attente»). Car elle peut rendre l'homme meilleur, plus sage, devenir la lumière qui éclaire «pour nous faire honte, pour nous montrer notre laideur, notre médiocrité, notre égoïsme». L'orage que doit subir l'huissier, à la campagne, est le symbole lui aussi de la guerre. Le vieux paysan, qui a été témoin du désarroi de l'huissier, «espère qu'au sortir de la guerre, le monde s'adoucira, les cœurs se retrouveront, l'agitation cessera». Il regrette toutefois que «l'orage [n'ait] pas été assez long», qu'il ait à peine «commencé à le toucher, à le dompter, à le purifier».

Le conteur, on le voit, devient souvent moralisateur. L'univers des contes d'*Adagio* est peuplé de bons, d'un côté, et de moins bons, de l'autre, que les premiers s'appliquent à transformer, à rendre meilleurs. Parfois trop rapidement, ce qui nuit à la vraisemblance du récit. Abel Moisson change radicalement d'attitude et de conduite après s'être vidé le cœur en présence de Tancrède Labrise qui lui manifeste de la sympathie. La transformation du marguillier Marceau est tout aussi inexplicable dans le même conte. Ainsi en est-il du violoniste Hubert Thomas, qui accepte de garder son fidèle instrument après que le luthier Sarto Rochette lui eût raconté, selon la technique fréquemment utilisée dans le conte, le récit dans le récit ou la mise en abyme, les événements tragiques qui ont mis fin à sa jeune carrière non sans avoir triomphé dans son premier récital auquel sa mère n'avait même pas pu assister. Gêné, honteux même, le virtuose atteint de rhumatisme reprend son violon qui «n'est plus à vendre» («Violon à vendre»).

Heureusement, les qualités abondent dans les contes de Félix Leclerc, qui maîtrise bien toutes les techniques de son art. Une mise en situation rapide, une phrase suffisent souvent pour capter l'attention, pour créer l'atmosphère. «À l'âge de trois ans, il lui était arrivé un malheur», écrit le conteur au début de «Tanis». Le conte ne raconte pas ce malheur: il ne fait que l'évoquer pour, plutôt, s'attarder aux conséquences de ce malheur. Ou ce début de «Cantique»: «Il était venu au monde comme les autres enfants.» L'enfant se démarque, non par son arrivée dans le monde, mais par «quelque chose dans sa tête [qui] n'allait pas bien». Le conteur, par petites touches, s'attarde à lever le secret sur ce personnage malheureux, devenu la risée du village.

Parfois, Félix prend le temps de préciser clairement les lieux et l'époque du drame qu'il veut raconter: «C'était le 23 décembre, cinq heures du soir» («Pour ceux qui restent»), comme dans le conte traditionnel. Ou ce début de «Norbert»: «Quelque part en Abitibi, bien loin, ce soir dans le nord, plus loin que la tempête de neige». Tout y est pour nous préparer à lire le journal de ce jeune habitant exilé. «Ce matin-là, le postillon glissa une lettre dans la boîte au pied du chemin et partit sans prendre le temps de baisser le couvercle, comme s'il jetait des mauvaises nouvelles» («Par intérim»). Le conte se développera en dévoilant le contenu de la lettre et la mission confiée au destinataire. Sans se perdre dans les détails inutiles car le conte souffre d'un trop long développement.

Dans *Adagio* germe déjà ce poète que Félix deviendra par la suite, ce chantre incontesté de la nature et de son île, microcosme de ce pays qu'il a tant aimé et qu'il a chanté sur toutes les scènes du monde. Si on a pu lui reprocher, au moment de la parution de son recueil, quelques expressions et tournures de phrases qui conviennent davantage à la langue parlée — rappelons que ces contes ont d'abord été écrits pour être dits à la radio — on n'a pas assez insisté sur les beautés de cette langue simple, originale, attachante, à l'image des personnages du conteur qui ne laissent pas indifférent même près d'un demi-siècle plus tard. N'y a-t-il pas une grande espérance qui se dégage de la plupart des contes de la trilogie de Félix Leclerc?

Aurélien Boivin

Le Traversier

Après avoir marché longtemps à la dérive, j'ai rencontré une rivière où il y avait un pont et une auberge tout près.

Je suis entré à l'auberge, comme on entre chez soi. Quelques clients soupaient aux tables du milieu, des clients sages et peu bavards.

Je m'installai à la table du fond, près d'une fenêtre, d'où je voyais très bien la rivière et le commencement du pont. Le jour tombait sur l'automne. J'attendis.

Un grand vieux de la place buvait en face de moi, en regardant le fond de son verre ; un homme au teint cuit, aux mains enflées de muscles.

Je le connaissais sans lui avoir jamais dit un mot. Il est de ces visages ouverts, des visages de vieux, qu'on croit connaître depuis toujours.

Sans présentation aucune, on se parla et on se comprit. Il m'offrit à boire. Il avait des yeux francs qui fixent sans gêner.

Il m'a raconté une histoire, celle de sa jeunesse. Le village y a passé, un chaland, le pont que je voyais, puis deux femmes. Il m'a d'abord décrit sa rivière du temps de sa jeunesse.

C'était une rivière bohème, buveuse de ruisseaux, où s'abreuvaient les arbres, les mouches et les loups. Elle venait de loin, où commence l'écume, et charroyait des écorces gommeuses, promenait des canards et des joncs sous-marins ; les libellules s'y miraient en passant et des bancs de poissons verts, entre deux ombres d'arbres, y dormaient au soleil.

Jouant avec la bouteille qu'il y avait sur la table près de son verre, le vieux continua :

— C'était une rivière tranquille. Une orignale venait boire au détour à tous les matins, de bonne heure, avec son petit. Ma rivière était tranquille. Elle n'a pas beaucoup changé, elle. Les bords ont changé... Il n'y avait pas de maisons, ni de villages, ni de pont, quand je l'ai connue, moi. Elle était toute seule, dans le temps, avec nous autres puis une couple de familles : nos voisins. Mon père est arrivé un des premiers ici, attiré par elle. C'est lui qui lui a donné le premier coup de rame. Il a deviné qu'un jour ce serait une place d'avenir, il s'est fait traversier. Il a bâti un chaland pour voyager d'une rive à l'autre. Le premier, il en a eu l'idée. Un beau chaland gris qui se tenait toujours les deux bras pendus au bout de ses poulies, comme un chien au bout de sa chaîne ; un chaland qui regardait le large, en grinçant des fois pour partir.

J'ai grandi dans ce chaland-là. Ç'a été mon berceau. Je me faisais un lit de fougères vertes, le midi ; j'étendais ça dans le fond, sur le bois brûlant ; je me couchais dans la belle odeur, ma casquette en visière sur les yeux. Floup... gloup ; les vagues faisaient floup, gloup, en tapant sur mon gros berceau. Puis je m'endormais, les oreilles pleines de chansons. Quand je me réveillais, je restais des heures à plat ventre sur le bout qui donnait au large. Je regardais passer l'eau, les boules d'écumes, les poissons, puis, des fois, les remous qui faisaient comme un entonnoir. J'appelais ça des yeux, les yeux de la rivière qui regardaient les miens, puis qui continuaient à descendre en virant.

Le bord où notre maison était bâtie, c'était le bord civilisé, parce qu'à cinq milles de chez nous, il y avait le village : une petite église, un épicier, puis une école de campagne. Nous autres, nous étions les dernières maisons. L'autre bord, c'étaient les places nouvelles.

Un monsieur Beaulieu, qu'on appelait le seigneur Beaulieu, s'y était bâti. Ç'a été le premier client de mon père. Durant l'été, il le traversait tous les jours. Après lui, ç'a été quelques colons qui s'étaient acheté des lots autour de celui du seigneur, puis qui défrichaient dans le bois vierge. On les entendait bûcher quand le vent adonnait. C'est eux autres qui ont bâti le village où on est ce soir.

Tu veux me parler de l'école, là, je suppose ? J'y ai été. Comme de raison. Oui. Mais bien avant d'apprendre mes lettres, je connaissais le bois, la plage, le chaland, puis la rivière par cœur. À l'école, je m'ennuyais. Les yeux dans la fenêtre, je guettais le soleil ; J'avais hâte qu'il baisse pour retourner chez nous. Je partais le matin de bonne heure, à pied, avec Marie. Des fois, quand les colons avaient affaire au village, ils nous acceptaient avec eux autres, puis ils nous ramenaient le soir.

Marie ? Qui était Marie ? Une petite fille à peu près de mon âge, l'enfant d'une des deux familles qui demeuraient au bord de l'eau avec nous autres. Marie! Regarde ici, dans le fond de mon verre ; c'est vrai, tu ne la vois pas ; moi, je la vois toujours. Quand j'ai été plus vieux, en âge de comprendre, ils m'ont dit que ce n'était pas ma sœur. On était toujours ensemble ; nu-pieds, on a grandi dans les joncs de la grève ; on jetait des pierres sur les canards sauvages ; on ramassait les œufs de perdrix ; on pêchait des truites ou bien on faisait un nœud coulant au bout de nos manches de lignes, puis on capturait des suisses ; on allait aux fraises, aux bleuets, aux framboises, aux glands. Elle faisait des couronnes de feuilles, l'automne, puis moi, je lui ramassais des cailloux blancs parce que je la trouvais belle.

Une fois, j'avais aperçu un coquillage dans le sable, je lui en avais donné la moitié ; je l'ai encore, la mienne, chez nous dans un vieux coffre. J'ai quelques souvenirs de même. Son père avait un beau jardin. C'est de lui que nous achetions nos provisions.

Un jour, j'ai eu quinze ans. J'étais quasiment un homme. Le père vieillissait ; ses yeux n'étaient pas bons, j'ai laissé l'école pour prendre sa place. Le village d'en face grossissait. Il y avait déjà plusieurs maisons, une rue principale, une petite usine de pulpe, puis un commencement d'église.

Ça faisait beaucoup d'ouvrage pour le chaland. C'est moi qui étais traversier.

Je connaissais mon métier, parce que je connaissais mon chaland ; je lui avais donné un nom. Je l'appelais *Marie*. J'avais écrit ça sur les deux flancs : *MARIE* en lettres blanches. Mon père n'avait pas trouvé ça drôle ; il savait que je l'aimais. Quand il y avait bien du courant, les vagues grimpaient jusqu'à son nom pour venir l'embrasser, puis elles se sauvaient ; quand il faisait calme, le nom se reflétait dans l'eau, à l'envers ; je le piquais avec une branche, il se défaisait en mille miettes, pour s'éparpiller sur la rivière.

J'ai eu vingt ans comme tous les autres.

Marie avait des cheveux qui lui tombaient sur le dos, doux comme du foin de grève. Ses yeux étaient couleur de noisette ; elle était grande, agile. J'attendais d'être un peu plus vieux pour l'épouser. Elle le savait, préparait son trousseau tranquillement, aidait sa mère, s'occupait des plus jeunes parce qu'ils étaient une grosse famille.

À chaque printemps, elle me donnait un cadeau. Sais-tu quoi ? Un beau pavillon blanc. Blanc comme son nom. Pourquoi ? Pour mettre de l'autre bord de la rivière, au bout d'un mât ; ordinairement, il restait roulé, dans le bas, mais si quelqu'un voulait traverser, moi, je savais pas, on n'avait pas le téléphone, il hissait le pavillon blanc ; c'était le signal. Quand je le voyais flotter dans l'air, je sautais dans le chaland, puis j'y allais. J'ai usé plusieurs pavillons blancs. Un par année. Marie les a faits tous. Dans mon coffre, chez nous, j'en ai trois ou quatre, des vieux. Je les étends sur mon lit, des fois, puis je me mets la face dedans.

Non, je ne me suis pas marié.

Ça n'est pas arrivé comme je le voulais. Ça n'arrive pas comme on veut, des fois. Une autre fille est venue casser ma vie, comme on casse un fil. Une espèce de danseuse ; d'une autre race que nous autres. Une garce qui ne parlait pas beaucoup, mais qui m'a embrouillé le cœur avec ses yeux noirs qui riaient tout le temps.

Vu que c'était une place nouvelle, il y avait toutes sortes de monde qui visitaient ça. L'argent roulait pas mal. Des fois, il venait des acteurs de la ville pour donner une pièce ; ou bien des acrobates, des petits cirques, des athlètes. Un bon jour, ç'a été une troupe d'étrangers. Ils avaient des guitares, des violons, des costumes rouges, bleus, avec des grosses manches bouffantes, en soie, puis des ceintures comme des arcs-en-ciel.

Elle était avec eux autres. Elle avait deux grandes tresses noires, attachées au bout par des petites plumes d'oiseau de paradis. C'est moi qui les avais traversés un après-midi, avant le souper, vers cinq heures.

Je vois bien arriver cette troupe d'étrangers ; ils avaient l'air des artistes comme sur les images, avec leur musique, leurs valises, puis tout le bazar. J'étais justement avec Marie au bord. Puis, je me le rappelle, Marie m'avait dit en les voyant :

« Des bohémiens, Nicholas. Des bohémiens. Traverse-les vitement. Regarde-les pas, c'est dangereux des bohémiens. »

Puis, elle s'était sauvée. Moi, je ne pouvais pas. Il fallait que je les traverse, c'était mon devoir. Quand on a laissé le rivage, je les ai regardés. Comme des serpents, ils m'ont enjôlé ; elle, Guyanne, c'est de même qu'elle s'appelait, elle n'a pas parlé, mais elle me fixait tout le long de la traversée. Elle essayait de m'aider en tirant le câble avec ses petites mains de poupée. J'avais trouvé ça fin. En débarquant, elle s'approche de moi, me dit à l'oreille, en me montrant un petit soulier de satin vert, caché dans son sac à franges :

« Viens. Je danserai pour toi. »

Personne ne l'avait entendue. J'ai fait voir de rien, mais j'étais reviré à l'envers. Ça prenait une fille décidée. Des invitations de même, j'avais jamais connu ça. Ça m'a ébloui, excité, saoulé quasiment. Le soir, j'ai traversé à la cachette. J'ai menti à Marie. J'ai été à la fête du village.

Il y avait du monde, des lumières, de la joie dans l'air. Les filles étaient en blanc, nu-tête. Les hommes étaient en blouse, en chapeau de paille. Ça sentait la fête. Des éclats de rire se croisaient au-dessus du parc. La musique jouait là-bas, sur une petite plate-forme. Guyanne était là, au milieu. Je ne l'ai pas reconnue tout de suite, à cause de ses cheveux qu'elle avait dénoués, qui lui flottaient dans le cou. Elle faisait un cercle avec ses mains, au-dessus d'elle. Elle partait à la course, sur la pointe des pieds, en fixant quelque chose de plus loin que le monde. Elle regardait toujours à la même place : un point dans le ciel bleu. C'était mon pavillon blanc qu'elle regardait, qui claquait plus haut que les arbres, qui était resté en l'air depuis le commencement de la veillée. Il y avait du vent dans sa robe à la petite. Ses souliers verts n'arrêtaient pas de frémir.

Je savais pas ce que je devais faire. Je restais là, bêtement, accoté sur un arbre, en dehors des autres, mon chapeau à la main. Me semble qu'il sortait des cordes de leur musique, à travers les accords, des cordes qui m'attachaient à l'arbre, puis qui m'empêchaient de grouiller. Je savais pas où j'étais. Entre deux danses, elle est venue à moi. À travers la foule, elle est venue sous mon arbre. Elle avait un grand châle bleu sur sa tête. Tout le monde la regardait passer comme une apparition. Elle marchait par sauts, en courant presque, pour ne pas salir ses petits pieds enveloppés dans le satin vert.

Les mains sous sa gorge, en dessous du châle, elle est venue à moi. Je suis venu pour parler, elle avait un doigt sur sa bouche ; puis, après, j'ai vu un sourire. Mon énervement est parti tout d'un coup, en voyant son petit visage tout essoufflé ; j'étais à l'aise. Moi aussi, je me suis mis à rire. Puis on s'est dit quelque chose comme ça. C'est elle qui a commencé.

— J'ai dansé pour toi.

— Oui ? j'ai répondu, merci bien.

— Je danse encore si tu veux.

J'ai dit :

— C'est beau de te voir. Tout le monde te regarde.

— Il n'y a que toi ici.

J'ai repris :

— Comment ça s'appelle la danse que tu viens de faire ?

— Pavillon.

— Comment ?

— Pavillon. Comme celui dans le ciel là-bas.

— Oui ?

Tout bas, j'ai murmuré :

— Tu ressembles à mon pavillon, c'est vrai.

— Merci.

— Vas-tu danser encore ?

— Approche en avant, plus près, pour mieux voir.

— Quelqu'un te fait signe là-bas.

— Approche, qu'elle me répétait.

— Non, je vais rester ici. Je vois bien.

— Pourquoi tu ne viens pas en avant ?

— Un pavillon, c'est fait pour être regardé de loin.

— À tout à l'heure !

— Va vite.

— Attends-moi.

Et elle s'est enfuie.

Pavillon, j'ai dit ce mot-là dans le fond de mon cœur en la regardant s'éloigner.

Elle a dansé encore. Elle avait l'air d'un ange, les ailes pliées dans sa robe, fragile comme un morceau de nuage. Le monde la dévorait des yeux. Moi, je me pensais au ciel.

La nuit était avancée quand la fête a cessé. La foule se dispersait. J'ai fait plusieurs traversées de suite ; mon chaland était bourré de clients, je travaillais sans sentir la fatigue, comme si j'avais eu des bras de fer. Le dernier voyage, ç'a été les bohémiens. Les lumières étaient éteintes partout ; j'avais juste mon fanal à bord. La petite était en arrière, dans les câbles, avec moi. On se laissait descendre tranquillement. Pour revenir, le courant nous poussait de biais. J'avais presque pas à tirer mes poulies. Rendue au bord, elle n'a pas voulu débarquer. Elle s'est cachée derrière mon attache, un piquet plus gros qu'elle. Ses amis ne s'en sont pas aperçus ; ils ont pris un charretier, puis ils ont continué sur la route, en chantant.

J'ai eu peur de me voir tout seul avec elle. Elle m'a fait reculer un peu au large ; j'ai obéi comme un esclave. Le chaland a laissé la grève. Elle s'est approchée, s'est assise sur une boîte en face de moi. Je verrai toujours ses yeux dans la nuit ; ils me brûlaient comme des pointes, mais sans me faire mal ; j'ai jamais pu comprendre pourquoi je riais pareil. C'est-y assez bête.

Elle m'a dit qu'elle avait froid ; j'ai fait rien qu'un saut de côté ; j'ai ouvert mon coffre, je suis revenu avec mon gros gilet de laine noir que Marie m'avait tricoté ; je l'ai enveloppée dedans. Elle avait l'air d'une petite fille dans le manteau de son père. La nuit était claire, c'était plein d'étoiles dans l'eau ; aussitôt que le chaland grouillait, les étoiles plongeaient pour revenir un petit peu plus loin. C'était silence. Tout à coup, du côté de notre maison, j'entends un bruit, comme un bois qui tombe à l'eau. Je tends l'oreille : quelqu'un venait à la nage ; je distinguais des bras qui remuaient en faisant flac, flac, flac. J'ai reconnu qui c'était. Quand le nageur se fut approché à cinquante pieds de nous autres, il a crié mon nom par deux fois, puis il a plongé au fond de la rivière. C'était Marie.

Je l'ai réchappée avec peine et misère. Il était temps ; elle voulait plus vivre ; je l'ai quasiment forcée. J'ai renvoyé la bohémienne. J'ai veillé Marie cette nuit-là. Elle était couchée dans la chambre de sa mère. Elle toussait. Au matin, avec le soleil, elle a tourné sa tête ; il y avait une petite traînée de sang sur l'oreiller ; elle a ouvert les yeux, des yeux couleur de noisette, qui m'accusaient, qui me faisaient mal. J'ai été obligé de sortir. Je l'ai laissée pour m'étendre dans le chaland. Le soleil m'a endormi.

Les jours ont passé ; moi, j'étais triste, je m'ennuyais. J'avais beau chasser la vision de l'autre, elle était collée dans mon cerveau ; des heures de temps, je fixais mon pavillon l'autre bord : je pensais à elle.

Marie guérissait tranquillement ; elle était maigre, pâle ; elle marchait en se soutenant comme une malade. Quand le soleil était bon, elle sortait pour se promener sur la grève. Une après-midi, sa voix m'arrive bien doucement dans mon dos ; j'avais honte de la regarder en face:

— Nicholas, Nicholas.

— Oui, Marie.

Puis, elle a dit ceci :

— Elle danse ce soir au deuxième village. Vas-y. Si tu t'ennuies, va la voir. Ça te ferait du bien, je veux pas que tu fixes le large des heures de temps. C'est pas bon, vas-y. Après, tu reviendras. Va.

Ce qu'on peut être lâche ! Le même soir, j'ai déserté encore une fois ; j'ai emprunté une bicyclette, puis j'y suis allé. La fête était commencée ; j'entendais rire de loin à travers les lumières.

Je l'ai vue ; elle était là, sur la plate-forme, dans sa même robe blanche. Elle dansait encore ; le même pavillon, les mêmes yeux, la même musique, les mêmes bohémiens ; on aurait dit la même nuit. Le monde la regardait. Il y en avait qui disaient :

« C'est une fée. »

26

Je l'écoutais avec les autres. Elle m'avait pas vu encore. Tantôt, je la surprendrais ; elle serait contente.

Entre deux danses, elle met son même châle bleu, couleur de soir, puis elle se faufile entre les groupes en courant, pour pas salir ses petits souliers verts ; elle s'en venait vers moi, j'en étais sûr. Le cœur me cognait, je la voyais s'avancer ; qui de nous deux surprendrait l'autre. Toute ma douleur était partie, toute ; j'étais heureux comme avant ; elle m'oubliait pas puisque la voilà qui me frôle, ses petites mains sous son châle, comme l'autre soir, les yeux baissés. Pour qu'elle relève la tête, je dis :

— Guyanne, c'est moi. Je suis venu. Je suis venu.

Elle a levé les yeux, m'a dévisagé sans rire, sans dire une parole, sans rien, comme si elle m'avait jamais vu ; puis elle a baissé la tête encore, a continué son chemin en trottinant toujours. Je l'ai suivie des yeux. Elle a laissé la foule, est rentrée sous un arbre. Un gars l'attendait là. J'avais des sueurs dans le visage ; je devais avoir les yeux pleins de sang.

Je suis parti à la course. Je suis revenu chez nous. J'ai pleuré sur la route, mais c'était fini.

Le lendemain, Marie est venue à moi, avec un beau sourire de malade heureuse ; je savais pas quoi faire pour qu'elle me pardonne. Si elle m'avait fait signe de me noyer, je me serais noyé pour elle.

— Puis, es-tu mieux, Nicholas ?

— Oui. Embarque, Marie, que j'ai crié, embarque vitement que je te promène ; viens dans le chaland que je te berce comme avant ; embarque, Marie, viens que je te roule dans mon gilet de laine.

Un homme était sur la grève, qui voulait traverser. Il avait une petite valise avec lui. Je l'ai fait sauter à bord.

Rendu au milieu, il m'a demandé poliment d'arrêter le chaland. J'ai obéi. Il a sorti des instruments compliqués de sa valise. Je pensais qu'il voulait prendre des photos, mais c'était pas ça, c'était un arpenteur du gouvernement qui venait prendre les mesures de la rivière. J'ai demandé pourquoi. Il m'a répondu :

« Vous savez pas ? Nous avons l'intention de construire un pont ici. »

Un pont ! J'ai pas ajouté une parole. Marie s'est retourné vivement le visage au large pour ne pas voir l'étranger.

Un pont sur ma rivière ? Un pont pour remplacer mon chaland ?

— Marie, ils veulent faire un pont. As-tu entendu ? Mais Marie me répondait pas, je pense qu'elle pleurait.

*   *   *

Mon histoire achève. T'es pas fatigué de m'entendre, mon jeune ? Tiens, bois ça. Hé, Raoul, emporte donc une autre bouteille. J'achève. Le pont c'est lui que tu vois là. C'est lui qui m'a remplacé. Sais-tu comment je l'appelle ? Guyanne. Parce qu'il a l'air d'une danseuse avec ses arceaux qui se rejoignent, ses lumières, puis ses affiches. Pour une autre raison aussi. Parce qu'il est à tout le monde, pas plus à moi qu'à un autre.

Où est Marie ? Morte, des suites de sa baignade. Morte heureuse aussi, en me faisant signe qu'elle m'aimait. Elle voulait pas voir le pont, elle l'a pas vu. Tiens, bois !

Mon chaland ? Mort lui aussi, en même temps qu'elle. Je l'ai débité le matin du service. Je l'ai brûlé, planche par planche, excepté une, celle où c'était écrit

28

Marie. Celle-là, je la garde. Tiens, bois. J'ai connu deux femmes, mais j'ai souvenir que d'une... C'était un beau chaland gris.

Violon à vendre

C'était un jour de pluie. Un homme marchait dans la rue, un violon caché dans son paletot ; il allait vite, le chapeau sur les yeux et l'air fatigué. Il cherchait une adresse ; à droite et à gauche, il regardait. Puis soudain, il entra dans une petite allée, poussa une porte de maison sur laquelle il y avait une planchette de bois, avec ce mot peinturé en rouge : LUTHIER.

À l'intérieur, il secoua son paletot, l'ouvrit, déposa son violon sur le comptoir. Il releva son chapeau d'un coup de pouce et attendit le vieux qui travaillait là-bas sous la fenêtre, assis sur un petit banc, entouré de pots de colle, de scies, de rabots et d'instruments éventrés.

Le luthier se leva, clignant des yeux derrière ses grosses lunettes :

— Qu'est-ce que c'est ?

— Je viens vous vendre mon violon.

Le luthier prit l'instrument dans ses mains, comme on soulève un malade, l'examina, le tourna, le caressa de la paume et dit :

— C'est moi qui ai fait ce violon-là, il y a vingt ans, la date est écrite.

L'autre fit :

— Je sais.

— Vous voulez le vendre ?

— Oui, monsieur.

— Il est brisé ?

— Non.

— Quoi ?

— Rien. Je veux le vendre.

— Je ne les achète pas ordinairement. Votre nom, vous ?

— Hubert Thomas.

— Je vous connais de renommée, monsieur Thomas, j'ai des disques de vous en arrière, des concertos ; c'est avec lui que vous avez enregistré ?

— Oui, monsieur.

— Ça me fait plaisir. Sarto Rochette, mon nom.

Puis, il demanda :

— Ça fait longtemps que vous jouez ?

— Seize ans.

— Vous voulez le vendre ?

— Oui.

— Pourquoi ? Je vous demande ça simplement.

— Ma main ne va plus, répondit l'artiste.

Et il montra une main gauche, avec des doigts qui restaient pliés.

— Rhumatisme ?

— Oui.

Alors le vieux ne savait plus que faire. Il caressa de nouveau l'instrument et dit :

— Gardez-le pareil.

— Non, je ne veux plus le voir.

— Pourquoi pas le garder ? répéta le bonhomme presque souriant.

— Parce que j'ai besoin d'argent.

— Monsieur Thomas, me permettez-vous de vous dire...

— Quoi ?

— Si j'étais vous, je ne me déferais pas d'un ancien ami comme ça, pas d'un ami appuyé sur seize ans de preuves, si j'étais vous.

— J'ai besoin d'argent. D'ailleurs, ajouta l'artiste, avec une grimace de malheureux, et il montra sa main, je suis loin du temps où je jouais premier violon dans les symphonies, vous savez. Les engagements dans les postes radiophoniques, c'est fini.

Il claqua les lèvres.

— Les concerts publics aussi. Il y a deux semaines...

Et il s'arrêta.

— Continuez, fit le vieux.

— Il y a deux semaines, le chef d'orchestre de jazz, pour qui je travaillais depuis trois mois, m'a remercié gentiment ; j'ai été obligé de donner des leçons aux enfants ; je paralyse en montant la gamme ; alors quoi, vous voyez, c'est fini.

Le vieux, durant ce discours, avait placé sa main gauche à deux ou trois reprises sur la boîte du violon, en hésitant. Finalement, il la laissa là, bien en vue, sans la bouger.

Quand le musicien eut fini de parler, il se pencha vers son instrument et aperçut la main du vieux, à laquelle il manquait deux doigts. Les deux hommes, l'espace d'une minute, restèrent immobiles. Hubert Thomas, le premier, rencontra le regard du vieux luthier et dit :

— Vous aussi ?

Le vieillard fit attendre sa réponse. Il se recula sans

parler, marcha vers sa fenêtre, s'assit sur son banc et continua de travailler, comme s'il regrettait d'avoir exhibé son malheur. L'artiste le suivit, passa entre les instruments qui traînaient ici et là, s'assit à son tour sur une pilée de planches, ouvrit son paletot, et attendit que parlât le vieux. Le regard sur son travail, Sarto Rochette, le luthier, dit :

— Cet accident m'est arrivé à l'âge de seize ans ; je vais vous le raconter, à cause des concertos que j'ai de vous en arrière. Si ça peut vous aider, tant mieux ; sinon, tant pis.

L'autre ne répondit rien, mais baissa la tête.

Alors, le vieux, en mettant du silence entre ses mots, raconta ceci :

— Nous étions une grosse famille chez nous. Nous vivions sur une ferme ; à sept milles de la ville. Les enfants, nous allions à l'école en traîne à chiens et dînions au collège. Heureux quand même ; j'ai eu une belle enfance. À même la nature à pleins bords. Pour me faire oublier la rigueur des jours, j'avais une passion : la musique. Oui. Mon rêve, mon seul, mon plus grand, que j'ai encore : être musicien.

Et le luthier vérifia s'il était écouté. L'artiste baissait toujours la tête. Le vieux continua :

— Sur les conseils répétés de mes professeurs du collège, mon père m'acheta un violon. J'avais du talent, beaucoup d'oreille, une main gauche agile, et l'âme à fleur de peau. J'ai étudié un an. Ma passion était du délire, tant j'aimais ça. Pour partir le soir, après le souper, encore avec les chiens, et, une fois par semaine, faire sept milles, aller chercher ma leçon et revenir, il fallait aimer ça. Roulé dans une couverte, je serrais mon violon dans mes bras, comme on tient un enfant. J'étais heureux...

À une fête que donnait le collège vers ce temps-là, je faisais ma première apparition en public.

L'artiste releva la tête. Le vieux continua :

— Dans la salle, il y avait des prêtres, un monseigneur, un député, des journalistes, tous les élèves et plusieurs jolies filles, mais aucun de mes parents n'était là. J'étais venu seul avec mes chiens, à cause de la poudrerie d'enfer qu'il faisait. Maman n'était pas dans la salle. Les chemins étaient impossibles. Dommage, parce que j'avais réussi mon concert, et elle aimait tellement le violon. Elle était la première et grande cause de ma persévérance, mon inspiration, ma symphonie, quoi. Pauvre elle.

J'avais joué « Souvenir ». Je l'entends encore ; ému, ça se comprend, avec le cœur qui me cognait, mais le violon résonnait clair et propre dans la salle. Le monde écoutait. Les jolies filles aussi. Je revois encore les applaudissements, les appels, mon énervement, mon professeur dans la coulisse, qui pleurait, et une belle enfant qui m'avait envoyé un baiser, en soufflant sur ses doigts.

Un homme, crayon et papier à la main, était venu prendre mon nom, mon âge, puis avec un grand sourire, un regard sympathique, il était parti. La salle s'était vidée. Passant près de moi, un prêtre avait dit, branlant la tête : « Continue, mon petit... »

Ah ! si maman avait été là ! C'était mon seul regret.

L'artiste s'approcha, le corps en avant, pour ne pas perdre une parole. L'autre poursuivit :

— Après la fête, il y a eu le petit goûter intime chez mon professeur qui demeurait à cinq minutes de là. Tard dans la nuit, je suis sorti, mon cher violon sous le bras, des rêves plein le cœur. Je suis allé dans la petite étable, derrière le collège, où mes chiens m'attendaient. Je les attelai gaiement, malgré la poudrerie et les hurlements dehors ; je me rappelle, je sifflais.

J'étais jeune, heureux. Je songeais au violon, aux cours que je prendrais, à la métropole, aux concerts, aux solos, à ma famille, à la gloire, le bel orgueil permis, à la race, et, soudain, *wrang !*

L'artiste fronça les sourcils et guetta les mots qui suivaient.

— Quelque chose venait d'arriver d'épouvantable, continua le luthier ; tout tomba devant moi, net, comme le courant électrique qui manque soudainement. Là, je me rappelle pas trop bien. Je sais que je me suis battu avec un chien, qu'il criait et moi aussi. Je sais que j'ai fait une crise nerveuse, que je suis sorti de l'étable en courant dans le milieu de la rue. Je sais que de longues traînées de sang me suivaient dans la neige, partout où j'allais. Je sais que ce fut long avant d'arriver chez nous. Le chien, un nouveau, arrivé chez nous depuis seulement une semaine, m'avait coupé deux doigts...

Après un silence, le vieux ajouta :

— J'entends encore le son qu'a fait la hache lorsque mon frère l'a tué le lendemain. Voilà. J'ai fini. J'ai joué une fois dans ma vie, en public. Pas durant seize ans, ni avec succès et en faisant des disques, et en semant mon nom en tournées juqu'en Europe, non, une fois, dans une petite salle de collège. Et ma mère ne m'avait pas entendu.

Hubert Thomas baissa de nouveau la tête.

Tranquillement, le vieux se leva, puis disparut derrière les rideaux qui séparaient la boutique de ses appartements. Il revint avec une boîte, l'ouvrit précieusement. C'était son violon, enveloppé dans une flanelle blanche. Il le coucha délicatement près d'Hubert Thomas et s'en retourna à son petit banc sous la fenêtre.

L'artiste ne répondit rien. Il frôla timidement les cordes du violon avec son doigt et resta songeur.

À la fin, un peu gêné, il regarda le vieux luthier. Et celui-ci, franchement, sans malice, ses petits yeux clignotant derrière ses lunettes noires, lui dit :

— Non, monsieur Thomas, mon violon n'a jamais été à vendre. C'est le seul ami qui ne m'ait jamais déçu. Je le garde. On ne se défait pas d'un ami comme ça.

Hubert Thomas comprit. Il se leva à son tour, se boutonna promptement comme quelqu'un qui a honte et qui veut partir, s'approcha du comptoir, prit son violon, le glissa dans son paletot à cause de la pluie qui tombait toujours dehors, et dit très bas

— Le mien n'est plus à vendre, non plus. Merci, monsieur Rochette.

Et il sortit en fermant la porte doucement, comme si c'eût été une porte de chapelle.

Procès d'une chenille

Il y a de ceci bien longtemps. Plus de mille ans. On devait être en juin. En plein champ, à trois lieues de la plus proche maison, au pays des insectes et des fleurs. Un après-midi.

Il faisait soleil tout le long du ruisseau, car un ruisseau passait par là. Sur les deux rives, des criquets cachés dans le trèfle s'injuriaient à pleine tête, comme des gamins qui se disent des noms.

Pas de travaillants autour, avec leurs chevaux et leurs pelles. Personne. La terre inventait la moisson, toute seule, dans la paix, comme elle fait toujours en juin. Sur l'eau tiède du ruisseau, deux patineuses se promenaient d'avant et à reculons ; leurs ailes faisaient comme des coiffes blanches au soleil. On aurait dit deux religieuses qui marchaient dans la cour du couvent. Il devait être quatre heures de l'après-midi, l'heure des visites ou de la récréation.

Les deux patineuses, au milieu du ruisseau, loin des oreilles tendues pour tout savoir, bavardaient chacune leur tour, penchant la tête de côté, sans tourner le visage, comme font les sœurs.

La plus vieille disait à sa compagne :

— Tu sais ce que j'ai appris en passant chez les bleuets tout à l'heure ?

— Non, fit la plus jeune.

— Eh bien, c'est demain que le procès commence.

— Le procès de la chenille ? Alors, on y va. Qui te l'a dit ?

— Un hanneton. Je filais par ici tout à l'heure, reprit l'aînée, et un hanneton m'a crié en passant : « Demain matin, après la rosée, le procès commencera. Soyez-y. Rendez-vous au kiosque, cinquième piquet, où se donnent habituellement les concerts d'été. Dites-le à votre famille, tout le canton y sera. »

En effet, le matin même, on avait surpris, sur les petites heures, une chenille verte, saoule de miel, dans la corolle d'un lys blanc.

Une araignée, qui tissait juste au-dessous, l'avait aperçue et avait donné l'alerte. Aussitôt, deux abeilles policières, guidées par les petits fanaux des mouches à feu, étaient accourues pour arrêter la voleuse de miel.

Pauvre voleuse ! On l'avait roulée au cachot, dans une galerie souterraine, chez les fourmis, entre deux haies d'insectes qui hurlaient leur colère au passage.

L'araignée était si indignée du scandale, paraît-il, qu'elle offrit gratuitement son fil pour lier la coupable. Elle la lia si bien que la chenille avait disparu sous les câbles, recouverte comme une momie.

Un gros barbeau, le juge de la place, avait fixé le procès au lendemain, après la rosée, dans le kiosque d'un piquet. Plusieurs places étaient déjà retenues. Tout le monde en parlait.

Tout à l'heure, les criquets ne s'injuriaient pas, ils discutaient la chose, comme des commères, chacune de leur fenêtre.

À bonne heure le lendemain, tout un peuple d'insec-·
tes attendait sur le terrain : des criquets du voisinage avec
des petits manteaux noirs, luisants comme de l'écaille ;
des faux-bourdons en vestes jaunes ; plusieurs araignées
assises sur leur ventre et qui roulaient nerveusement leur
peloton de fil ; plus en arrière, des fourmis qui élevaient
des petits murs de sable, où elles grimperaient tout à
l'heure pour mieux voir, et des cigales qui plaçaient tous
ces gens en faisant beaucoup de bruit avec leur sifflet.

Enfin, le barbeau-juge entra, solennel. La salle se
leva en silence. Suivi de plusieurs barbeaux plus jeunes,
le juge s'installa sur une feuille d'érable qu'on avait étendue au milieu.

La cour était ouverte. Les deux abeilles policières,
sur un signal, amenèrent l'inculpée sur leurs épaules et,
brutalement, la culbutèrent sur le tapis. Elle roula inerte,
sans se plaindre. Il y eut un frisson dans l'auditoire. On
dut sortir deux jeunes éphémères qui avaient perdu connaissance.

Alors, l'avocat des fleurs, une guêpe savante, débita
avec chaleur l'acte d'accusation, toute la marche du
drame : comment la chenille s'était faufilée dans le lys,
son entrée avec effraction dans la chambre à miel, sa
saoulade et la souffrance, l'agonie, puis la mort du beau
lys blanc.

Voilà qui était bien dit. L'avocat fut interrompu
plusieurs fois par des applaudissements, des réflexions et
même des huées.

Le barbeau-juge demanda le silence parfait pendant
que le jury réfléchissait. Il réfléchit et par la bouche du
plus vieux, une puce qui se grattait toujours, déclara ceci :
«Nous avons trouvé la chenille coupable.»

De toutes les loges d'insectes sortit un grand brouhaha. Quelques-uns étaient pour, d'autres contre.

Enfin, le juge se leva et dit :

— La chenille est coupable, mais devant les opinions si partagées, nous ne pouvons la condamner à mort.

Plusieurs crièrent : « L'exil ! l'exil ! »

Ce qui fut décidé. Aussitôt, quatre hannetons cassèrent des brins de foin, les plièrent pour faire un radeau qu'ils traînèrent jusqu'au ruisseau. La foule entière se rua à leur suite. Les maringouins, les mouches, les pucerons, tous, pêle-mêle, étaient sur la grève. Les guêpes applaudissaient. Les abeilles avaient toutes les misères du monde à retenir les bourdons qui voulaient assommer la chenille cachée dans son cocon.

Les criquets faisaient de la cabale, essayaient de soulever les discussions. Et plusieurs fourmis retournèrent à l'ouvrage, la tête basse, trop émues pour assister à l'embarquement.

Les grandes libellules aux fragiles ailes étaient déjà parties en vitesse pour annoncer la nouvelle dans leurs marécages.

De force, la prisonnière fut déposée au milieu du radeau. Beaucoup la croyaient morte, parce qu'elle était immobile. La méchante araignée s'avança et, avec beaucoup d'orgueil et de malice, ligota son ennemie au plancher du radeau. Enfin, trois insectes patineurs, sur l'ordre du juge, sautèrent sur l'eau, et à grands coups de patins, poussèrent le petit navire jusqu'au courant. Et le petit navire descendit doucement vers l'exil, ballotté par les vagues qui faisaient de petites glissoires.

Les deux rives étaient noires d'insectes. Un grand nombre pleuraient, d'autres se réjouissaient.

Soudain... Non, c'est difficile à dire et incroyable, la chose que l'on vit... « Regardez ! Regardez ! » cria de toute sa force un maringouin. Et dans la stupéfaction et presque la terreur, on vit une chose extraordinaire : le cocon s'agiter follement, se percer, se fendre, s'ouvrir, et deux grandes ailes jaunes se déplier au soleil, s'étirer, apparaître tachetées de points noirs ; des ailes cendrées de poudre d'or, avec des dessins dessus, des ailes magiques, brillantes, qui battaient l'air, laissant le radeau continuer seul, passer triomphantes, majestueuses, dans l'avant-midi, au-dessus du peuple consterné qui baisait le rivage.

Le premier papillon était né. Et son premier vol se continuait par-delà les fraises, rouges d'épouvante.

Cette histoire est finie. La leçon fut grande chez les insectes qui avaient jugé la chenille trop sévèrement parce qu'elle était laide et sans défense. Même, on sut plus tard que l'araignée qui avait bâti son cocon s'était suicidée.

Si on accuse le papillon d'être volage, c'est qu'il ne croit en personne. Il connaît la fragilité et l'inconstance des amitiés.

Le Voleur de bois

Les pins de la forêt, plus grands que les bouleaux, voyaient dans le nord la bourrasque s'avancer. Serrés les uns contre les autres, les pins mêlaient leurs cheveux pour protéger les arbres plus petits. C'était décembre. Décembre, le mois des bourrasques, apportant le père Noël et son sac plein de jouets, de surprises, de rubans et de souhaits ; apportant aussi le père Hiver et son sac plein de maladies, de rafales, de froidures et de tristesses.

À grands coups de tourbillons, le vent mordait les champs nus, et les champs dévêtus offraient leur dos à la nature en colère. Tout au bord de la forêt, il y avait une cabane de pauvres. Là vivaient un voleur de bois et son garçon, et trois chiens misérables étendus entre deux grabats, et un poêle. Seuls près des arbres, les deux hommes attendaient la pointe du jour, sans dormir. Le plus jeune toussait, le plus vieux écoutait l'hiver ; et l'hiver par dehors léchait les murs de la cabane et soufflait du froid par les fentes.

Abel Moisson, le père, dit tranquillement à son fils qui toussait :

— Habille-toi chaudement. Je vais te mener à l'hôpital.

L'autre fit un grand signe que non ; alors le père éleva la voix :

— Tu ne veux pas y aller ? Tu vas y aller pareil. Là, tu tousseras à ton goût. Je ne veux plus t'entendre. Habille.

Et il sortit le premier, ses trois chiens à sa suite, trois misérables bêtes frileuses et maigres, aux yeux jaunes, au large poitrail où l'on voyait les traces du collier. Il les attela au gros traîneau à lisses de bois, poussa du pied la porte de tôle en criant :

— Je suis prêt. Fais-moi pas attendre.

Le fils parut, sanglé dans ses guenilles. Il était plus grand que le père, mais plus frêle. La misère lui avait descendu les épaules et rentré la poitrine. Il était laid. Le père aussi. Mais le fils avait des yeux bleus très pâles, très beaux, presque des yeux de femme. Ils s'assirent tous les deux dans le traîneau et l'attelage partit.

Au dispensaire du district, ils furent bien reçus. Après l'examen, un homme vêtu de blanc questionna le père. Puis il lui dit :

— Nous allons garder votre fils le temps qu'il faudra. Faites comme s'il était parti en voyage. Il a besoin de repos.

Le père, gauche et gêné, dit :

— Arrangez-le-moi.

Et il s'en alla sans regarder les murs propres. On conduisit le fils dans la grande salle des hommes. Pour la première fois de sa vie, l'enfant prit un bain chaud, passa une chemise de nuit et glissa dans des draps blancs, sentant le net. Il s'endormit, en palpant son oreiller de plumes.

Pendant ce temps, le père, de porte en porte, dans des endroits où il n'était pas connu, offrait à vendre du bois qu'il volait.

— J'ai du beau bois à vendre, madame, qu'il disait, de la belle érable, saine comme des os. J'en ai tant que vous en voudrez. À moitié prix des autres. Je suis du Saint-Maurice. Je fais un gros chantier tous les hivers. À matin, je prends les commandes. Je livrerai ça demain ou après-demain. C'est le temps des provisions. Profitez-en. Je passe pas ici tous les jours... Deux cordes ? Entendu, madame.

Cet avant-midi-là, le voleur de bois sauta dans son traîneau. Par les ruelles où il y avait de la neige, il sortit de la ville et gagna sa cabane au grand galop. Il mangea, dormit sur le grabat de son fils. Quand il s'éveilla, il faisait gris, presque brun.

Il prit sa hache, ses chaînes et, suivi de ses chiens, il s'engagea dans un sentier connu de lui seul, bordé de pins. À chaque dix pieds, il arrêtait sa marche et tendait l'oreille. Aucun bruit dans la forêt, que le vent. Pas un coup de hache, pas un cri, pas un pas de cheval.

C'était l'heure où il volait le bois abattu par les paysans durant le jour. Il en prenait ici, et là, deux ou trois billots, pour qu'on ne remarquât pas sa visite. Savait-il qu'il volait ? Ce soir-là, il l'apprit. D'arbre en arbre, quelqu'un s'était approché jusqu'à cinq pas de lui. Soudain, une voix très calme vint dans son dos :

— Tu voles mon bois ?

C'était le paysan propriétaire de ce lot.

Le voleur, surpris, resta figé.

— C'est à toi, ce bois-là ? Qu'est-ce que tu fais sur ma terre ?

L'autre ne répondait pas.

— Vire ton traîneau à l'envers tout de suite.

Le voleur siffla entre ses dents :

— Si vous approchez, je lâche mes chiens.

Le paysan attendit, puis il continua :

— T'es bien peureux pour un gars qui a pas fait de mal ?

— J'ai rien fait de mal, réplique l'autre.

— Vire ton traîneau à l'envers, voleur !

— Oui... C'est bien, je suis un voleur... je suis un voleur, qu'il répéta deux ou trois fois, avec un grand geste. Pas pour le plaisir. Parce qu'il faut que je le sois. Je suis rendu là. C'est ça la chance que j'ai eue dans le pays...

Pour la première fois, il leva la tête vers le cultivateur et demanda :

— Voulez-vous me laisser votre bois ? Je vous le paierai quand j'aurai de l'argent.

— Non, pas d'arrangements avec toi, jamais !

Et l'habitant dit même :

— Je vais te faire arrêter.

L'autre ricana et répondit :

— C'est pas la première fois que ces réponses-là me revolent à la face. Je suis accoutumé — il grinçait — personne a voulu faire des arrangements avec moi. Personne. Non, je suis pas chanceux, non.

— Fais pas de discours, coupa l'autre, voleur !

Et il le dévisagea. Le voleur baissa les yeux, serra les poings, s'approcha du traîneau et dit :

— Apprenez-moi donc quelque chose de neuf ! Ça fait vingt ans qu'il me disent que je suis un bon à rien. Dans toute ma vie, depuis que je suis enfant, j'ai entendu rien que ce son de cloche-là.

L'autre cracha dans la neige et lança cette injure :

— Je te ferais pas coucher dans mon étable.

Le voleur se cabra, leva la main et dit frémissant :

— Si je vous mettais responsable de ce que je suis,

ça vous surprendrait ? Vous ne me connaissez pas. C'est peut-être bien ça votre tort. C'est des gars comme vous qui ont fait de moi ce que je suis.

L'habitant resta saisi ; il marmotta :

— Je te dis de me donner mon bois, c'est tout.

— Prenez-le, continua le voleur.

Tout en déchargeant les billots, il parlait pour se vider :

— Vous faites bien. Si j'avais comme vous une terre à bois et si je poignais un voleur dedans, je lui sauterais à la gorge, j'écraserais ses chiens un par un, à coup de pieds, je débiterais son traîneau. Qu'est-ce que vous attendez ? Vous feriez bien !

Vous voyez, continua-t-il, je ne suis même pas un bon voleur. C'était à moi de prendre mes précautions. C'est parce que je vieillis que je suis peureux. Je vais vous redonner votre bois. Je reviendrai la nuit quand vous serez couché.

Parce qu'il faut que je vole ; c'est bien de valeur, je suis rendu là.

Un jour... je peux bien vous parler ! ricana-t-il, on se réchauffe, on s'ambitionne à discuter, vous pensez pas ?

L'habitant ne savait quoi répondre.

— Un jour, j'étais assis sur la belle herbe tiède, un soleil couchant dans mon dos. J'étais tout seul, j'avais seize ans. J'étais assis en face de plusieurs sentiers, avec chacun une belle lumière dedans. Je regardais l'avenir. Je viens pour me lever, m'approcher, choisir, rentrer dans un des chemins, avec une clarté au bout du poing... non. Un homme est venu, m'a touché l'épaule, m'a dit de ne pas regarder mes lumières — ou bien mes talents, c'est pareil — il m'a dit : « Tiens, voilà une pelle. Creuse. Occupe-toi pas de ton avenir. Travaille. Regarde à terre. Bûche. Creuse. »

J'avais seize ans. J'ai regardé à terre. J'ai pris la pelle. C'est comme ça que j'ai creusé ma fosse. Je me retournais de temps en temps quand j'avais une minute à moi, je regardais mes lumières. Elles faiblissaient, elles s'en allaient. Je voyais d'autres jeunes les prendre, puis se sauver avec dans les beaux sentiers. Eux autres ont réussi. Je suis content. Mais ç'aurait pu être moi. Je suis resté là. Au lieu d'avancer vers la clarté, j'ai reculé vers la noirceur. La vie a fait de moi ce qu'elle a voulu, tant qu'elle a voulu. Elle m'a ballotté comme une pelure d'orange sur le fleuve. J'ai jamais eu plus de gouvernail que ça. Le dessus, je l'ai jamais repris.

Ils m'ont montré combien j'étais petit. C'est pour ça que j'étais venu sur la terre ? Pour haïr ? *Gravouiller ?* Détruire ? Sacrer ? Pour me faire abîmer par mes propres voisins ? Partout où j'allais, ça riait autour de moi. Tout ce que je faisais était pas correct. J'osais plus me précipiter nulle part. Je vais dire quelque chose d'épouvantable là, mais je vais le dire tout bas : j'avais quasiment honte de m'appeler Moisson, de porter un nom français, parce que j'entendais dire des méchantes affaires sur les Canadiens. Le pire, c'est que ceux qui les disaient étaient des gars de ma race. Si je suis pas une réussite, je sais pourquoi. J'ai appris à haïr trop vite. Mon école : des paquets d'ignorants, des jaloux, des envieux, qui m'ont montré à haïr — dans ma langue, craignez pas.

L'habitant l'écoutait avec étonnement ; l'autre, échauffé, continuait :

— Voulez-vous en savoir plus que ça ? Si je vole, c'est parce que la vie me le permet, voyez ? C'est parce que j'ai pas d'instruction. Parce que j'ai toujours eu rien que des ouvrages de fond de cale sur les bateaux. Parce que mes patrons prenaient plus soin d'une pelle à charbon ou d'un crochet à bûches que de moi. Parce que, quand je leur disais que ma femme était malade, ils ne me croyaient pas. J'ai demandé des augmentations, ils n'ont pas voulu m'en donner. Ils ont bien fait aussi. On demande pas à un pic de faire l'ouvrage d'un crayon : j'avais rien dans la tête. Une paire de bras au bout des épaules, c'était tout. On ne va pas loin avec ça. Je voyais des jeunes me dépasser en s'excusant, prendre les bonnes places tranquilles, à la chaleur, en chemise blanche, parce qu'ils savaient se servir d'un crayon.

Parmi eux autres, il y en avait qui parlaient ma langue. Ils me regardaient pas, mais ils me faisaient sentir que j'étais en bas d'eux autres, plus bas, bien bas, comme vous faites là, vous, que j'étais un bon à rien, un outil, un pas fin, un creux... un maudit fou, parce que je signais mes chèques par une croix. Ça me faisait quelque chose en dedans...

L'autre regardait par terre, immobile, mal à l'aise.

— ... Ma femme est morte de misère. La misère, ça marche à pied, c'est pour ça que ça arrive à la dernière minute ; la misère, c'est toujours essoufflé, puis en retard. Je me suis endetté pour payer l'hôpital, j'avais pas une cent. Personne m'a jamais dit qu'est-ce que c'était, une piastre. Je l'ai jamais su, mais ceux qui m'ont prêté le savaient, eux autres. Ils m'ont sucé d'aplomb ; mes salaires étaient saisis d'avance ; ils me passaient sous le nez pour ma croix, puis ils disparaissaient.

Quand j'ai eu fini de payer, j'avais fini d'être écœuré. Quand un gars a une indigestion, il n'a rien qu'une idée : se cacher, s'embarrer dans sa chambre ou se reposer dehors au grand air. Tout seul. C'est ce que j'ai fait. J'avais une indigestion de travailler comme un cadran, nuit et jour. J'étais usé comme un cadran usé. Sur la fin, ils étaient obligés de me brasser pour que je travaille, de me donner une poussée comme à un cadran. Je suis sorti de la ville par les ruelles.

Les ruelles, c'est fait pour ceux qui sentent l'huile ou bien le goudron, ou bien le ciment. Moi, je sentais la malchance ; c'est pareil. Je suis sorti les yeux bas, comme quelqu'un qui ne veut pas se faire voir, parce que ma seule défense, c'étaient mes bras, et qu'ils étaient fatigués. C'est là que j'ai commencé à être peureux.

L'habitant, sans comprendre, se demandait pourquoi lui aussi avait peur. L'autre voix continuait toujours :

— ... Je me suis trouvé trois chiens bien laids, peureux comme moi. Je me suis fait un traîneau. J'ai ramassé des vieilles annonces de tôle dans le fond des cours, puis je me suis bâti un petit château sur le coin de la route, le long du bois, sur le chemin public. La paroisse m'endure là. Ils sont bien bons. C'est là que je suis rendu. À matin, j'ai été mener mon garçon à l'hôpital. Il est comme sa mère, il tousse. D'un sens, il est bien chanceux. Après ça, ai été vendre du bois à une femme que je connais pas. Je sais que c'est mal. Me voilà en face de vous, sur votre lot, votre poing levé sur moi, comme tous les autres à qui j'ai eu affaire. Un gars de ma race, vous me traitez de voleur. Avec orgueil, vous venez de dire : « Je vais te faire arrêter. » Vous me traitez de peureux aussi, de tout ce que vous voulez. Un compatriote ! Vous avez raison, c'est ça. On est rendus bas hein ?

Je vous conte pas ça pour des histoires de pitié. Je vous le conte parce que je suis dans un bois, Je sais que personne m'entend, qu'on n'est pas *bâdrés d'écornifleux* qui riraient de moi — c'est les moqueries qui m'ont tué

— parce que j'ai ça sur le cœur depuis dix ans. Depuis le service de ma vieille que je me refoule. À soir, je me vide...

L'habitant tapait la neige avec son pied.

— ... Il y en a pas un comme moi qui aurait voulu bien faire. Je ne suis pas de la sorte de pauvre qui veut l'être. Je suis de la sorte qui ne veut pas l'être, qui aurait aimé se relever, avoir quelque chose à son nom : ma boîte à la poste, puis ma clef ; un carreau de maison dans la rue parmi tout le monde ; des voisins qui m'auraient dit : « Bonjour, comment ça va ? Comment est ta femme ? » J'aurais voulu envoyer mon garçon à l'école. Aujourd'hui il parle pas, il tousse. Je pense que la misère l'a rendu fou. Il parle jamais. J'aurais voulu acheter des robes chaudes à ma Lucia, puis des gants avec des fleurs dessinées dessus. J'aurais aimé ça une petite machine, moi aussi, plus tard, une petite, ancienne, pour prendre l'air dans les campagnes, les soirs tièdes. J'aurais aimé ça apprendre à lire — je l'aurais appris, j'étais pas fou —, prendre un livre, puis lire, l'hiver, après mon ouvrage. J'aurais aimé ça un radio, un petit, pas compliqué, qui sonne vieux, pour écouter des airs qui ressemblent au fleuve. J'aurais aimé ça vivre, aller aux réunions du conseil, aux séances de la salle paroissiale, discuter avec le curé, des fois, sur un coin de la rue. Non. Rien n'est arrivé, parce que j'ai été attelé trop jeune sur des voyages qui m'ont pas servi ; des voyages bien pesants pour rien ; qui avaient pas d'allure pour apprendre à un enfant que la vie, c'est d'abord une éducation, une instruction pour se débrouiller, avec, piqué dessus, un beau drapeau, une sorte de drapeau qui m'aurait expliqué qui je suis, pourquoi une patrie, qu'est-ce que c'est une patrie, comment on fait pour la garder, pour l'aimer, l'agrandir, puis la faire aimer de tout le monde, même des étrangers, qu'est-ce qu'on fait, combien on est, où on va, pourquoi on va par là. Rien. Ils me l'ont jamais dit. Le titre que j'ai ramassé, vous me l'avez donné tantôt, ça n'a pas été long. Vous me feriez pas coucher dans votre étable...

L'autre rougit de honte.

— ... Vous au moins, vous êtes un cultivateur. Vous avez une terre, du bois, des animaux, une ferme, une famille, des labours qui dorment là, du foin dans vos granges, des voisins, la force, la considération du monde de la ville, parce qu'après tout, ils sont pas fous en ville : ils savent que sans vous, ils ne mangeraient pas ; vous n'êtes pas à plaindre.

Puis, vous arrivez ici, vous vous butez sur un voyou avec son traîneau plein de bois volé. C'est drôle la vie, pareil. Je dis que j'ai envie de rire, puis dans le fond c'est pas vrai. Vous voyez... Je ne sais plus rien... Je regrette de vous avoir dit ça. J'aurais dû me sauver tantôt, prendre le bord. Maintenant que je suis un voleur, c'est à moi de faire mon métier. Parce que c'est un métier — et le voleur ricanait. Mais à parler on s'échauffe, on bouille. J'ai renversé. C'est fini.

Il se moucha rapidement avec sa mitaine de laine. Dans le grand silence qui venait de se faire, le cultivateur dit doucement :

— Tes chiens gèlent.

L'autre poursuivit, l'œil rouge :

— La vérité que j'ai dite là, c'est assez pour geler les chiens... Ça devrait geler tout ce qu'il y a de Canadiens sur la terre. On ne s'aime pas. On se mange, on se lutte, on se bouscule, on se cogne sur la tête, on se défend de réussir. Un gars qui a les yeux plus hauts que le troupeau, il reçoit un coup de masse sur la tête pour que sa tête soit à l'égalité des autres. Il y a des pays où le mot le plus courant dans les bouches c'est : mieux, encore mieux, meilleur, encore meilleur. Ici, le mot courant c'est : pourriture, bon à rien. Vous ne l'avez pas fait exprès : sans me connaître, vous me l'avez jeté dans la face.

— Où c'est que t'as appris ce que tu viens de me dire ? demanda l'habitant.

L'autre répondit, la figure tournée vers la ville :

— J'ai appris ça dehors au vent, tout seul à l'heure des repas, quand je me promenais pour ne pas penser que j'avais faim.

L'habitant questionna :

— As-tu un poêle dans ta maison ?

Le voleur fit signe que oui.

— À soir tu gèleras toujours pas. Emporte ton voyage. Combien t'as vendu de cordes à la femme, à matin ?

— Deux.

— Tu viendras les chercher ici, je te les donne.

— Non, non. Vous me les prêtez. Pas de donnage. Je vole ou bien je suis honnête.

— Tu es un drôle de voleur.

— Pour moi, il y a pas de vrais voleurs, expliqua sincèrement le pauvre, il y a rien que des gars qui sont obligés de l'être.

Le cultivateur dit :

— Je m'appelle Tancrède Labrise.

— Moi, Abel Moisson, fut la réponse.

— Je reste un mille plus bas que le garage Beauchette.

— Moi, dans le château du coin de la route, en gagnant Saint-Luc. Il y en a rien qu'un comme le mien.

— Sais-tu que c'est à se parler qu'on se connaît ?

Le voleur ne répondait plus.

— Ma femme doit être inquiète, pensa l'habitant, j'ai encore deux milles à marcher... Et il se mit à chercher quelque chose dans la neige.

— Je cherche un petit arbre, expliqua-t-il, que je suis venu couper. Tiens, le voilà ! Il ramassa son petit arbre pirouetté dans la neige. Il ajouta : je suis grand-père, moi. J'ai le petit gars de mon garçon chez nous. Je suis venu lui couper un arbre de Noël. Sa grand-mère m'a envoyé ici, au bois. Un beau petit gars, lui. Il s'appelle Richard.

Il continua simplement :

— Aimerais-tu le voir ?

Le voleur craignit d'avoir mal compris. Il releva la tête et dit en se montrant :

— Moi !

— Oui, toi. Viens donc, un mille plus bas que le garage Beauchette, du long du fleuve. Avec tes chiens, c'est une affaire de rien. Quand ça adonnera. Viens un soir. On t'attendra.

— Vous allez m'attendre ?

L'habitant tourna, s'éloigna avec son arbre en disant:

— Salut, Abel.

L'autre, seul, à mix-voix, murmura :

— Il m'a appelé Abel. Depuis ma femme, c'est le premier.

Et après que le cultivateur se fut éloigné, il essuya ses yeux dans ses mitaines sales.

* * *

Il retourna en hâte vers son garçon pour lui dire sa rencontre avec Tancrède Labrise. Le médecin qu'il croisa lui annonça ceci :

— Votre fils va mieux, allez au fond, porte 129.

Le voleur, gauchement, répondit :

— Je ne sais pas mes chiffres. Si vous vouliez me conduire à lui...

Le médecin le conduisit vers le jeune homme qui souriait dans le grand lit blanc. Le père alors lui dit :

— Allô, mon gars.

Puis :

— ... Hier, j'étais sur une terre à bois. J'étais après prendre du bois, tu comprends ?

Le fils se mit un doigt sur sa bouche.

— Faut pas que je parle fort ?

Plus bas, il poursuivit :

— Je prenais du bois, puis je me suis fait prendre. Je me préparais à lâcher les chiens. Ç'a reviré autrement. On s'est fait amis.

Le fils était stupéfié.

— On a parlé à l'abri du vent, dessous les grands érables. Il s'appelle Tancrède Labrise. Il y a rien comme d'être dans une forêt pour se parler, c'est mieux que dans un hôpital. Je te raconterai ça. Pense à Tancrède Labrise, tantôt quand je serai parti. C'est un bon gars. Un bon. Puis toi, comment ça va ?

Le fils souriait.

— Bien oui, ça se voit, dit le père. Tu sais que c'est blanc les couvertures ici ! De la vraie neige ! T'es étendu là depuis hier ? Tu as dû dormir un coup ? Repose-toi. Le docteur m'a dit qu'il t'arrangerait. Ils t'ont fourni la jaquette avec ? C'est pas de valeur. Tu me donnes le goût d'être malade.

Le fils pointa l'arbre de Noël au fond de la salle. Le père dit :

— Un gros, un beau. Il touche le plafond. Il est éclairé, habillé pour la fête.

Et il ajouta, rêveur :

— J'aime ça, les lumières, moi. Tu ne t'ennuies pas, l'arbre en face de toi ! Regarde-le souvent, regarde-le tout le temps.

Le fils montra, à gauche, une radio.

— Quoi ? fit le père, c'est pour vous autres, ça aussi ? De la musique en boîte ? Vous êtes bien servis. Tu crois que je peux la faire partir ?

Il tourna la clef. Un chœur mixte chanta des airs de Noël. Le père dit, la voix basse :

— Quand on entend des douceurs de même, on n'a plus rien à dire. On se renfonce dans une chaise, on se pique les yeux par la fenêtre, puis on pense. C'est bien la première fois de notre vie que ça nous arrive à nous deux. Quand on est un voleur de bois, qu'on n'a pas une cent mais des trous plein les poches, y a encore la musique, C'est bon... beau... Oublions au plus vite, au plus vite. Me semble que je m'appelle plus Abel Moisson. Ah ! Si le monde était toute l'année comme dans le temps des fêtes. Mais c'est pas arrangé de même parce que les hommes ne veulent pas encore. Moi le premier, comment que je vivrais ? Faut que je vole.

Il riait, son fils aussi. Le père dit :

— Je savais pas que tu pouvais rire. C'est comme moi, je pensais plus que je pouvais être autre chose qu'un voleur de bois. Je pense encore maintenant que je peux être autre chose.

Les voix montaient dans la salle. Il murmura :

— Je revois mes lumières en face de moi, comme dans le temps de ma jeunesse. Depuis hier, on dirait qu'elles s'allument une par une...

Puis se tournant vers son enfant comme pour dire un secret, il avoua ceci :

— J'ai couché dans ton lit, hier soir, à la cabane...

Le fils écoutait la voix de son père à travers les chansons

— J'avais des envies de ne plus voler, disait l'homme. Tu parles si j'ai changé ! Tout ça à cause de Tancrède. Un encouragement. Si c'est fort : se comprendre. Je vois mes clartés de jeunesse avec mes sentiers ; je sens mon coucher de soleil dans le dos. Cette fois-ci, personne ne m'arrachera les ailes. Personne. Parce que je le sais : marcher à quatre pattes, c'est pas bon. Ça n'avance pas. Des ailes, c'est plus vite. Bien plus propre aussi.

Le fils se tourna du côté de la radio. Il pleurait. Et le père se renversa sur le dossier de la grande chaise pour assister à la parade des airs de Noël.

* * *

Ce soir, il y a des couronnes de buis dans les portes d'entrée, des lumières au plafond, des galeries, des bonshommes de neige devant les maisons et, à chaque fenêtre, un sapin habillé comme dans la forêt un matin de neige.

On voit des enfants qui roulent des jouets neufs sur les planchers tièdes, et des parents qui les regardent ; et au dehors, sur les corniches, des flocons de neige qui se bousculent pour voir l'arbre de Noël.

Tous ceux qui ont des enfants sont heureux ce soir ; ceux qui n'en ont pas sont un peu gênés parce que c'est la fête des enfants et qu'ils sont seuls. Au lendemain de Noël, plusieurs femmes disent à leur époux : « Si nous avions un enfant... »

Parce qu'un enfant, c'est un soleil et que, l'hiver, le soleil de la nature se cache. C'est le bon Dieu qui pousse son soleil plus loin dans l'espace avec son doigt, pour que les parents fassent des soleils. Plus il y en a, plus le foyer est chaud.

Il est aisé de comprendre la froideur de certains châteaux ; ils sont inhabités. Là, on s'ennuie. Mais on le veut bien, parce qu'aujourd'hui on peut se choisir un soleil facilement. Un enfant s'adopte. Ils sont là, aux crèches, ils attendent. Ils sont beaux, prêts, neufs. Ils ne savent même pas dire maman.

C'est l'hiver. C'est Noël.

Le Sauveur est venu. Heureux les foyers où Jésus est à la mode, où des enfants crient Noël, et glissent sur le tapis un jouet de vingt sous.

Abel Moisson, le voleur de bois, avait rendez-vous ce soir chez le paysan Tancrède Labrise. Il ne s'est pas rendu. Est-ce la gêne ? La peur ? L'oubli ? Où est-il, Abel Moisson ?

Il est à l'hôpital près de son fils.

Un groupe de jeunes gens et de jeunes filles sont là dans un coin et chantent pour les malades. Et les malades sont saouls de bonheur. Les oreillers sont si blancs, les voix si étranges ! Dans la salle publique, le fils fait semblant de dormir. Abel Moisson écoute lui aussi, il tremble comme un pauvre que l'on habille en neuf. Il vit dans les lits voisins des hommes aux traits durs, qui sont émus. Il murmure :

— Je suis content d'avoir des oreilles. C'est beau des chansons de même. Ça lave. Ça glisse sur le cœur. Ça se ramasse dans le fond. Ça donne envie de vivre. Faut vivre. Faut oublier. Je vais oublier ce que j'étais. Parce que la vie, c'est pas ce qu'on fait, c'est surtout ce qu'on va faire.

Le fils veut poser une question, mais, lui, le père, devine et enchaîne, en le regardant :

— Toi aussi, tu peux oublier. Certain. T'en as moins long, ça va aller plus vite. En parlant de tout de suite, finie la pourriture. Demain est tout neuf, personne n'y a encore touché. Je vais y toucher, moi ; tranquillement. Faut avoir les mains propres pour développer des cadeaux. L'avenir, c'est comme un beau cadeau. Je veux être propre comme ces chansons-là...

Maintenant, nous savons pourquoi Abel Moisson oublie son rendez-vous. Heureux l'homme qui a hâte à demain, et qui l'accueillera le cœur propre, parce qu'il le croit un cadeau du ciel. Paix à de tels hommes. Ils sont de bonne volonté.

* * *

Il est neuf heures du soir. Allons chez Labrise. Dommage... l'enfant qu'il devait montrer au voleur de bois est couché. Le paysan et sa vieille ont eu quand même de la visite. Un voisin, Luc Marceau, marguillier de la paroisse, cultivateur bien en vue, est entré pour offrir ses souhaits aux Labrise. Du haut de sa grandeur, l'important Marceau, le dos au poêle, un verre à la main, se gonfle devant l'humilité des vieux. Il expose son opinion très personnelle sur l'instruction.

— Ils m'ont demandé pour être commissaire d'école, hurle-t-il, j'ai dit non. Sec de même : non. Ils savent que Marceau n'envoie pas dire ce qu'il a à dire.

Commissaire d'école ! Pas le temps de m'occuper de ça. J'ai assez d'être conseiller, puis marguillier, puis de m'occuper de ma terre.

Madame Labrise, finement, se glisse dans la conversation.

— Vous auriez fait un bon commissaire, me semble.

— Vous ne me connaissez pas, madame, reprend l'autre. Je me serais fait haïr, parce que l'école je ne suis pas pour ça. J'aurais été le premier à refuser l'augmentation de salaire aux institutrices. Je ne m'en cache pas. Ça aurait fait jaser. Je ne suis pas pour ça, l'école.

— Vous trouvez qu'elles gagnent assez cher ? discute madame Labrise.

— Je trouve qu'elles sont bien payées, continue le marguillier. Pas de misère... Chez eux... Partent le matin, à huit heures, en traîneau à chiens ; arrivent à l'école, font une bonne attisée, s'amusent avec les enfants, content des histoires ; à quatre heures le soir, tout est fini... Ça fait pas des journées longues.

— C'est plus dur que vous pensez, dit la paysanne.

L'autre boit et poursuit :

— C'est pas dur. C'est pas assez dur. C'est pour ça que, quand j'ai besoin de mes enfants sur la terre, je les sors de l'école. Ils rentrent rien qu'après les moissons en octobre. Je les sors en mai, aux semences. Moi, j'ai lâché à quatorze ans. Je savais mes lettres, puis mes chiffres. Quand on sait ça, c'est assez. Marceau a réussi aussi bien qu'un autre.

En disant son nom l'ignorant bombe la poitrine. Après un silence, la paysanne déclare :

— Moi, mes enfants, je ne suis pas fâchée de les avoir fait instruire.

— Vous en avez fait des gars de la ville aussi. Ça,

c'est votre affaire. Un habitant, faut pas qu'il en sache trop.

Tancrède Labrise, le paysan, ne parle plus. Soudain, il relève la tête :

— Qu'est-ce que vous pensez de l'agronome ?

Marceau répond :

— Lui, c'est pas pareil.

— Si on les prend un par un dans le canton, ceux qui ont réussi, c'est ceux qui sont les plus instruits.

— Qu'est-ce que vous faites de nous autres, les Marceau ?

Le paysan regarde sa vieille à la dérobée et :

— Vous autres, c'est pas pareil.

— Comment ça ?

— Vous êtes sur un vieux bien. Vous êtes la quatrième génération, là...

Marceau perd un peu l'équilibre.

— Oui, c'est vrai. Mais faut dire que les Marceau, c'est des travaillants, c'est pas des collégiens...

— En tout cas, je suis content pour vous autres, conclut le laboureur. Mais j'en connais bien des vieux de mon âge qui voudraient se voir plus savants. On se comprend mieux quand on est instruit. Moi, je suis pour ça.

Et sa vieille aussitôt :

— Moi aussi.

La discussion semble finie. Le marguillier marche dans la cuisine, revient :

— Nommez-en donc d'autres dans le canton qui pensent comme vous ?

— Vous en nommer d'autres ?

Le paysan réfléchit, puis gravement dit :

— Le voleur de bois.

— Qui ?

— Abel Moisson.

— Lui ? Il est pour l'instruction ? On parle pas des fous, on parle du monde ordinaire.

Et Marceau regarde par la fenêtre. D'une voix basse le paysan déclare :

— C'est pas un fou.

— Abel Moisson ? Qu'est-ce que ça peut faire ce qu'il pense ? Il vole le bois ! Il est pour l'instruction ?

— Il est pour qu'on se comprenne, tranche l'habitant.

— Vous voulez me faire rire, je crois bien !

Marceau essaie de rire. Le paysan le laisse faire et lentement :

— Je pense que vous n'auriez pas ri, si vous aviez été avec moi l'autre jour.

— Où ça ?

— Tancrède l'a rencontré dans sa terre à bois, vendredi, explique la femme.

— Il était après voler ? devine Marceau. Je voudrais bien le poigner sur mon lot à moi, ce chien-là. Je lui sauterais à la gorge. Il verrait que Marceau, c'est solide, ça défend son bien.

— Moi aussi, j'ai voulu sauter dessus, répond calmement monsieur Labrise. Mais j'ai changé d'idée... On s'est parlé. On s'est compris.

— Dites-moi pas que vous avez eu peur de ses chiens ?

— Non !

— Parce que c'est sa défense... Il les avait lâchés une fois sur Marc Jutras. Le petit Marc s'était poussé ! Il avait eu peur.

— Moi, je n'ai pas eu peur. Je l'ai écouté parler. C'est loin d'être un fou.

— C'est un gestueux. Il vous a entortillé avec des phrases. Il aurait besoin de jaser longtemps pour me desserrer les poings, à moi.

Et le marguillier vient tout près de cracher à terre.

— Vous ne l'aimez pas ? questionne la vieille.

— On est-y supposé aimer les voleurs ? rétorque Marceau.

— Je pense que oui, fait la mère. Vous étiez à la messe de minuit ?

— Certain que j'y étais. Dans le banc des marguilliers.

Et Marceau regarde encore par la fenêtre.

Le paysan essaie d'expliquer :

— C'est pas un homme comme vous pensez. Faut le connaître.

L'autre bondit.

— Moi, Marceau ? Connaître Abel Moisson ? Parler avec ? Pourquoi faire ? Peut-il me rendre service ? Un traîneux de route ? Un *ramasseux* de chicots ? Un gars qui attelle son garçon avec des chiens ! La plaie du canton, qui vole ici et là ? Marceau parler avec Moisson ? C'est bien pour le coup que le monde me fuirait. Ils me penseraient voleur. Faut éviter ça, la pourriture ; faut sauter par-dessus pour ne pas se salir ; faut prendre les beaux chemins, marcher sur le dur, pas dans la vase.

La vieille revient à sa question :

— Vous étiez à la messe de minuit ?

— Oui, madame. Pourquoi ?

— Dans le banc des marguilliers... Vous n'étiez pas loin de la crèche ?

— Juste en face, madame.

— Ah ! Et la vieille n'ajoute plus un mot.

Marceau regarde le paysan et, de la tête, lui fait signe de raconter l'histoire. Le paysan commence :

— Vendredi passé, j'ai rencontré Moisson sur ma terre. J'étais allé chercher un sapin pour le petit. Lui, il était après voler. J'ai dit : «Vire ton traîneau à l'envers.»

— Puis, qu'est-ce qu'il a fait ? demanda Marceau en montrant ses dents noires.

Il a dit bien tranquillement, sans s'excuser : «Je le virerai, mais je vais revenir cette nuit parce qu'il faut que je vole, je suis rendu là.»

— Le polisson ! Si Marceau avait été là...

Le marguillier se donne un coup de poing sur la cuisse. Le paysan continue :

Il m'a dit : «Si je vole, c'est de la faute à quelqu'un. Savez-vous de qui ? Si je vole, c'est de votre faute à vous, puis à tous ceux qui n'ont jamais voulu me comprendre ; qui avaient rien qu'une idée en me voyant : me battre au lieu de chercher à me connaître. C'est parce que je suis traqué comme un chien que je vole ; parce que des Canadiens comme moi, des gars de ma race, me haïssent, me traitent de bon à rien. Je sais plus où donner de la tête, je vole... C'est un métier ça, de voler. Le métier qu'ils m'ont donné... Je vole...» Il parlait de même.

— *Gestueux !* coupe Marceau en retenant un blasphème. Il ne m'aurait pas poigné, moi. Non ! Non ! Les Marceau, c'est pas des femmes... Vous l'avez laissé faire ?

— Je le regrette pas, dit le paysan.

— Il est parti avec votre bois ?

— Je lui en ai donné deux cordes.

— Vous me faites rire ! Marceau rit, dégoûté.

— Il y a rien qu'une chose qui me fait de la peine, déclare monsieur Labrise.

— Quoi ?

— Il devait venir ce soir, pour souper. Il est pas venu.

— Il devait venir ici ?

Marceau reste la bouche entrouverte.

— On l'attendait pour souper, ajouta simplement la femme

— C'est le bout !

Marceau se lève en haussant les épaules.

— J'aimerais ça que vous l'écoutiez. Il parle bien, dit le paysan.

Le marguillier regarde le couple avec une grande pitié :

— Vous me surprenez ! Le voleur de bois, ici...

Puis, il tourne sur lui-même, se rassoit et raconte ceci :

— Une fois cet automne, je m'en allais dans la route de Saint-Luc. J'étais en voiture. Je vois bien venir devant moi trois grands chiens maigres, attelés sur un banneau plein de bois volé. C'était lui. Le bonhomme tirait sur un câble à côté des *menoires,* parmi les chiens. Le garçon poussait derrière en toussant. J'avais envie de sauter sur le père, le sans-cœur ! Il pensait que j'étais pour me tasser, lui donner le chemin. Jamais ! J'ai pas grouillé. J'ai arrêté en face de ses chiens, sans dire un mot. Il m'a regardé, les yeux en dessous. J'ai pas eu peur. C'est pas épeurant un gars qui fait mal. Il a laissé la route. Ses roues calaient dans le sable. Je l'ai dévisagé. J'avais envie de rire. Il a fait le tour. Quand il s'est éloigné, il m'a lâché trois ou quatre sacres, puis il s'est poussé... C'est ça que vous invitez à souper ?

Marceau croit avoir signé définitivement la réputation du voleur de bois.

Mais le paysan ne semble pas avoir entendu ; il se retourne vers sa femme :

— Je l'ai pas vu à la messe de minuit. Je sais pas s'il y était...

— Pensez-vous qu'ils endureraient du monde de même dans l'église ? tempête Marceau ; venir salir les bancs ? C'est habillé avec des poches... ça sacre... ça vole... ça laisse mourir son garçon de misère... ça n'a pas le cœur de se trouver de l'ouvrage... ça couche avec ses chiens...

Alors la mère élève la voix et dit à l'ignorant :

— Il n'est pas seul qui couche sur la même paille que les animaux... Vous n'avez pas remarqué en face du premier banc ?

Marceau réfléchit et comprend que la femme veut lui parler de l'Enfant-Dieu. Il dit :

— Vous Le comparez toujours pas au voleur de bois ?

— Ce sont deux pauvres.

— J'aime mieux Celui de cette nuit, ricane Marceau.

Le paysan dévisage son hôte :

— Moi, je suis pour qu'on s'aime.

Alors, on ne parle plus dans la cuisine. L'atmosphère est lourde d'opinions diverses. Personne ne sait plus quoi dire. Soudain, les trois veilleurs dressent la tête, écoutent dehors. Au milieu du vent, ils entendent des chiens qui jappent. Un traîneau monte dans la cour.

— C'est ma visite ! crie le paysan. Ça doit être Abel Moisson.

Il se lève joyeux. Marceau aussi s'est levé ; il ramasse ses mitaines, sa tuque. Subitement gêné, mal à l'aise, il dit :

— Il est tard un peu. Je pense que je vais partir.

Le paysan ne répond rien. Il sort à la rencontre de son ami. Marceau se sent coupable d'avoir mal parlé de l'absent. Il piétine, indécis. Il partirait bien s'il s'écoutait, mais il y a la paysanne qui n'a pas bougé de sa berçante et qui l'observe tranquillement avec des jugements dans l'œil.

Alors, Marceau, brusquement, jette sa coiffure et ses mitaines sur la table, aspire comme quelqu'un qui va sauter dans l'eau, et dit en se rassoyant:

— Qu'il vienne.

La porte s'ouvre; gauchement entre le voleur de bois, suivi du paysan qui annonce, heureux:

— Ma vieille, je te présente Abel Moisson.

Elle salue gentiment comme on salue un ami.

Le paysan se tourne du côté du marguillier:

— Monsieur Marceau, un marguillier de la paroisse, monsieur Abel Moisson.

Marceau se tortille sur sa chaise, sans regarder, et dit bonsoir. Le voleur de bois place ses mitaines gelées sur la table près de celles de Marceau, s'approche du feu et dit le plus simplement du monde:

— J'ai manqué de pas venir. Je viens pas trop tard, toujours?

— On t'attendait, répond Tancrède. Tes chiens partiront pas?

Le voleur à son tour sourit et répond:

— Ils vont m'attendre. Ils seraient bien en peine de partir sans moi. En dessous de la galerie, à l'abri du vent, ils sont corrects. Je les ai enveloppés dans des poches. Il y a pas de soin pour eux autres, ils sont accoutumés.

— On t'attendait pour souper, mais tu es pas venu, dit le paysan. Monsieur Marceau a pris ta place.

' — J'étais bien remplacé, fut la réponse.

Marceau rougit sans parler.

— Tu as pas eu de misère à trouver la maison ?

— Non. Il y a bien du monde dehors en *berlot*. Je me suis informé.

— Cette nuit, pour la messe, on était toute une filée de *berlots* un derrière l'autre. Ça me fait quelque chose, à chaque année, une belle crèche. Y étais-tu ?

— Non. J'ai passé tout droit. Et le voleur explique franchement :

— J'ai rien qu'un grand capot jaune, couleur de paille, usé comme du chaume. J'étais gêné.

La paysanne dit :

— C'est la fête de Celui qui est venu au monde sur la paille. Pour la deuxième fois, le voleur, l'air heureux, sourit :

— Mais je pense que, dans l'église, il y avait que Lui qui était sur la paille...

— Non, répond la mère. Il y en a plusieurs, dans le canton, qui sont pauvres. Ils sont venus. C'est la nuit des pauvres.

— C'est vrai, madame. J'irai quand il y aura moins de monde. Je pense à Lui pareil.

— As-tu vu mon arbre de Noël ? demande le paysan pour alléger la conversation. Allume la lumière l'autre bord, sa mère... Tiens, penche-toi, Abel regarde dans la salle. On a fait ça pour le petit.

Le voleur se penche, regarde, branle la tête :

— Y a pas à dire, ça sent Noël, ici aussi.

Puis il se recueille et dit :

— J'arrive de l'hôpital. Mon gars est pas reconnaissable. Il est mieux. Il est beau dans le blanc. Ils ont soin de lui. Ils le gâtent. Moi aussi, ça me gâte : de la

70

musique, un gros arbre rempli de lumières, qui touche le plafond. Hier, il y avait une boîte pour lui dedans, cachée dans les branchages. La garde lui a dit ça ; il se l'est fait apporter. C'était écrit : « Pour le jeune Moisson ». C'était du chocolat...

Beaucoup de joie passe sur la figure du voleur pendant qu'il parle.

— Vous trouvez pas que mon nom sonne drôle là-dedans ? Du chocolat pour le jeune Moisson !

Marceau n'a pas envie de rire ; il écoute.

— Du chocolat pour la moisson qui s'en vient, continue l'homme. Les pauvres jeunes... Ils sont après nous montrer à vivre... Il y en avait tout un groupe, à soir, qui est venu chanter. Ils étaient dans un coin. Ils chantaient pour les malades. C'est pour ça que je suis pas venu plus vite. Ils ont chanté des airs de bergers : « Laissons le troupeau, suivons l'étoile, cherchons-Le ». Ils disaient ça. On était tous cloués à nos chaises, pas capables de partir, quand même on aurait voulu. Comme des belles odeurs au printemps, ça nous tenait. Surtout moi qui entends pas souvent de belles choses, ça m'a *poigné*. Dans toute ma vie, j'ai entendu rien que la complainte de la misère. À soir, c'était pas pareil. Je me sentais du monde. Mon gars riait. Moi aussi. C'étaient des découvertes pour nous deux. On n'a jamais ri. On n'a jamais eu l'envie.

Et tranquillement, le voleur de bois se tourne vers le marguillier qui rougit.

— Vous le savez vous, monsieur Marceau... Cet automne, quand vous m'avez rencontré sur la route avec mon garçon, on n'avait pas envie de rire, personne...

Marceau ne réplique rien ; il passe son doigt dans son collet comme quelqu'un qui a chaud.

L'homme continue toujours :

— Mais là, c'est plus pareil. Depuis une semaine, je suis bien changé. Depuis que j'ai rencontré monsieur Labrise. Puis à l'hôpital aussi, j'en ai bien vu... Je me pensais tout seul de malchanceux. C'est pas vrai. Il y en a toujours un pire que nous autres. J'ai vu des mourants, des morts, des malades, des paralysés, des gars pris là pour la vie qui se débattent, qui veulent pas s'en aller. J'ai pensé que vivre, c'était comme un bonheur. Demain c'est à moi. Je vais y faire attention. Ça avance pas de maudire à droite et à gauche. On se cale, c'est tout. On hait les hommes. Haïr, ça donne la peur. Je vais faire le contraire maintenant.

Et le voleur sourit du côté de Marceau.

— Je vais m'approcher des hommes. C'est en essayant de les comprendre qu'ils vont me comprendre moi aussi. Ça paye pas de faire le vide autour de soi. Je le sais maintenant. Si un homme m'aime pas, je lui dirai : « Qu'est-ce que tu as ? » C'est mieux qu'on se tienne, qu'on soit unis. Les mêmes gars qui m'en ont fait arracher, je vais aller les trouver un par un. Pas pour me battre. Non ! Mais juste pour leur dire : « Tu sais, t'as pas réussi. J'aime encore la vie ». Leur dire ça, ça va leur faire plus de mal qu'un coup de poing. Là, ils vont s'apercevoir que moi, avec un petit peu d'amour, je suis plus fort qu'eux autres avec des tonnes de haine. Ils pourront pas faire autrement que de m'aimer.

Marceau souffle difficilement.

— En tout cas, Celui qui est arrivé cette nuit est plus pauvre que moi. Qu'est-ce qu'Il a tant, que les siècles sont tirés vers Lui pour l'adorer ? Qu'est-ce qu'Il a dit de si beau, pour que des grosses têtes se renferment dans des cellules pour penser à Lui ? Qu'est-ce qu'Il a tant, que des millionnaires ont tout lâché là pour le suivre ? Qu'est-ce qu'Il a tant, qu'on entend rien que parler de Lui d'un bout à l'autre de la guerre ? Où est sa force ? C'est-y un magicien pour que des milliers de gars et de femmes se soient laissés dévorer par des fauves pour Lui ? Payait-il de gros salaires à ses engagés ? Qu'est-ce qu'Il a dit pour qu'après dix-neuf siècles, on revienne à ses paroles ? On a beau essayer de trouver ça ordinaire, c'est pas ordinaire !

De ce temps-ci, c'est la guerre. C'est comme dans un orage, personne a envie de rire. On sort les chandelles bénites, en blêmissant. Ça veut dire qu'il y a Quelqu'un au-dessus. C'est-y à cause de cette guerre, qu'il y a des rages de Le connaître ? Un vieux me lisait le papier, à soir, à l'hôpital, dans le lit voisin de mon garçon ; ça parle rien que du bon Dieu. Parce que ça va mal ? Parce que le monde a peur ? Quelle protection peut offrir un enfant qui vient au monde sur la paille ? Qu'est-ce qu'Il a tant cet homme-là ?

Et le voleur de bois trouve la bonne réponse. Il dit, avec sa voix de pauvre :

— Il a l'Amour. Le monde est comme moi, je pense. Il passe ces années-ci par où j'ai passé cette semaine. Le monde est fatigué de haïr. Le monde cherche Celui qui n'a pas d'armées, pas de polices, pas de canons. Le plus grand de la terre, à soir, à l'heure qu'il est, le plus questionné des plus grands chefs, le plus visité, le plus *achalé* sur tous les bords, c'est l'Enfant de la crèche, parce que c'est l'Amour. Le monde est *tanné* de haïr. S'il pouvait être *tanné* à jamais, les pauvres n'auraient plus hâte de mourir. Ça serait pas des énervés, des malades, des blasés, des fatigués, des peureux en face de l'avenir, des vieillards à trente ans. Ils seraient reposés, calmes, contents.

On sait quoi faire. Ça dépend rien que de nous autres. Il y a l'Amour. Il y a la haine. J'avais choisi la haine, il y a une vingtaine d'années. J'ai changé cette semaine : j'essaie l'Amour. Je pense pas de le regretter. Ça coûte pas plus cher, ça m'a l'air meilleur, plus durable. Si tous les Canadiens voulaient arrêter de mal parler de leurs voisins, arrêter de cracher sur le nom de celui qui est pas là pour se défendre, arrêter de frapper sur la tête de celui qui grandit, arrêter de se jalouser, arrêter de se darder dans le dos, on serait surpris de la force qui sortirait de nous autres pour des siècles à venir. Comme l'Enfant de la crèche a dû être surpris Lui-même quand Il est arrivé, puisqu'Il a dit : « Aimez-vous les uns les autres, faites ce que vous voudrez, mais je vous dis ça. Je pense pas de me tromper. Essayez : aimez-vous les uns les autres. » Il disait ça à ceux qui l'entouraient sur le bord des lacs. Pourquoi l'ont-ils écouté ? Personne n'était forcé ? Arrivons d'un bout à l'autre du pays avec une politique de même, nous autres. Tenons-nous bien. Notre réputation ceinturera la Terre en dedans de deux ans. On aurait une réputation que les siècles ne seraient pas capables d'user.

L'orage qui passe va finir. Il y a pas d'orage qui a pas de fin. Qu'est-ce qu'on va avoir l'air quand le beau temps reviendra ? On en a une preuve encore cette nuit : l'amour, c'est bien fort, c'est toujours à la mode. C'est ça qui va mourir en dernier. Moi, j'aimerais ça si les Canadiens pouvaient s'organiser pour que l'amour reste au pays après les fêtes. Reste, pour s'installer...

Après un grand silence plein de joie pour tous ceux qui sont là dans la cuisine, le marguillier Marceau se lève et dit :

— Moisson...

— Quoi ? fait le voleur.

Spontanément Marceau s'approche.

— Donne-moi la main, dit-il.

Les deux hommes font chacun un pas, se serrant la main en se regardant infiniment loin dans les yeux ; et leurs deux mains l'une dans l'autre font comme un gros nœud de câble que fixent émus, le paysan et sa femme.

Cantique

Il était venu au monde comme les autres enfants. Un beau matin, il avait fait son entrée dans la famille et on avait salué sa venue avec joie, comme c'est la coutume dans les maisons d'ouvriers.

Il y avait des frères et des sœurs avant lui, et il y en eut d'autres après lui.

Vers l'âge de sept ans, on l'envoya à l'école comme les autres. Il y alla, apprit ses lettres avec difficulté, et ne parvint jamais à démêler ses chiffres.

Les maîtres s'aperçurent qu'il n'était pas aussi brillant que les aînés. Petit à petit, on constata cette vérité assez pénible : il n'était pas intelligent, savait à peine répondre aux questions ordinaires, oubliant son âge et son nom ; quelque chose dans sa tête n'allait pas bien.

La famille s'habitua à cette épreuve ; les camarades voyaient bien que son cerveau était malade, les voisins aussi ; et quand il eut dix ans, on décida qu'il ne fréquenterait plus l'école.

Il faisait tout ce qu'on voulait de lui, sans critiquer, sans répliquer, parce qu'il avait une nature douce et tranquille. Il resta chez lui. Et tous les matins, assis sur la galerie, il regardait passer les enfants qui s'en allaient au collège avec des cahiers sous le bras.

Il eut douze ans et semblait heureux de son sort ; il faisait les commissions, sciait le bois, nettoyait les devantures de maisons, l'hiver, et, durant l'été, il se rendait dans le pacage public chercher les vaches pour les autres.

Dans ses moments libres, il flânait à droite et à gauche, entrait chez le cordonnier, palpait le cuir, ou s'assoyait près du feu chez le forgeron et regardait ferrer les chevaux ; chez l'épicier, on l'employait de temps à autre pour balayer l'entrepôt ; partout on le tolérait, il était inoffensif.

Sa famille habitait une maison de pauvres, dans la rue du petit lac près de l'église.

On le laissait seul et il grandissait seul, sans lois, sans haines, sans exigences, sans amis. Il aimait entendre les gens parler entre eux, mais lui ne parlait jamais parce qu'il était craintif et aussi parce qu'il ne savait pas beaucoup de mots.

À quinze ans, sans que personne ne le sût, il développa un goût, un goût qui tourna en passion et qui le perdit : la musique d'église.

Tous les jeudis après-midi, vers les trois heures, les demoiselles du couvent se rendaient à l'orgue de l'église pour répéter les cantiques du dimanche suivant.

Par les fentes de sa clôture de bois, ce qu'il les avait vues défiler plusieurs fois, les fillettes en robes noires, qui parlaient et qui riaient comme l'eau des cascades !

Il grimpait sur les cordées de bois au fond de la cour, s'écrasait immobile et, les yeux vers les fenêtres du temple, il écoutait, recueilli. Les voix d'anges sortaient dans l'après-midi, l'entouraient, l'inondaient, l'ensorcelaient.

Il croyait cette musique faite pour lui. Quand la répétition des demoiselles était finie, il se mettait à fredonner puis il se taisait jusqu'au jeudi suivant.

Petit à petit, il apprit des airs qu'il chantait doucement, pour lui-même, en cordant son bois, en allant à ses vaches. Un peu plus tard, on l'entendit chanter dans la rue sans s'occuper de personne. Après un certain temps, il se dégêna, chanta devant les voisins ; et, à la fin, il criait des cantiques du matin au soir, n'importe où, gratuitement, tant qu'on voulait, comme on voulait ; il en savait des dizaines. On n'avait qu'à lui payer une bouteille d'eau gazeuse et il chantait avec sa voix de baryton juste, mais ennuyante, sans vibration ni souplesse, ni diction ni goût. Alors, on décida de l'appeler Cantique. Par tout le canton, il fut connu ainsi.

Et il riait de voir rire les autres bêtement, sans se défendre, sans deviner que les hommes ne sont pas charitables, que ce sont eux qui fabriquent, pour leur amusement, les bouffons de village.

Il grandit. Il eut dix-huit ans.

Il était long, maigre, étroit des épaules ; il avait le cou mince, la pomme d'Adam saillante, les oreilles décollées, avec en plus cette habitude ridicule de se branler de bas en haut quand il marchait.

Il était toujours coiffé d'une casquette d'hiver sale, et montrait des dents noires dans un éternel sourire.

Ses mains, qu'il avait puissantes, descendaient presque aux genoux ; et il se promenait innocemment d'une rue à l'autre, prêt à chanter des cantiques dans n'importe quel restaurant, si on lui offrait à boire.

Cantique était devenu le fou du village.

Un soir d'élections municipales, on l'envoya porter une couronne de fleurs mortuaires à un échevin qui avait perdu son dépôt ; on lui faisait dévisser les lumières dans le haut des poteaux et, le soir, c'était l'obscurité dans les rues ; il se coupait lui-même les cheveux ; on lui faisait fumer des cigares pétards, pour le plaisir de le voir prendre la fuite en criant. Et combien de tours ne lui jouait-on pas !

Un après-midi de chaleur, un groupe de jeunesses bâillaient d'ennui au restaurant de la rue commerciale, en face de l'église.

Tout à coup, ils entendirent une voix bien connue. Quelqu'un s'en venait en chantant des cantiques.

— Appelons-le, dit l'un. J'ai une idée. On va rire !

Les jeunesses sortirent sur le trottoir et invitèrent poliment Cantique à venir trinquer. Il accepta.

On parla de choses et d'autres.

Soudain, un des farceurs dit :

— Cantique, veux-tu gagner cinquante cents ? Et il montra, dans le fond de sa main, une pièce de monnaie.

* * *

Cantique ouvrit les lèvres et sourit. Le farceur continua, clignant de l'œil et sourit.

— Tu vois les portes de l'église ouverte là-bas ?

Et c'était vrai, les portes de l'église étaient ouvertes, à cause de la chaleur. Cantique voyait tout cela.

— Tu vois les câbles des cloches qui pendent en arrière de l'église ? Va sonner les cloches, et je te donne cinquante cents.

Cantique se mit à réfléchir. Plusieurs jeunes gens froncèrent les sourcils ; d'autres riaient et se préparaient à rire encore plus.

— Cinquante cents, sais-tu que ça fait dix bouteilles ? continuait l'autre en harcelant Cantique. Vas-y. Cinquante cents. Sonner les cloches.

Cantique étendit sa grande main et dit :

— Donne.

— Non, répliqua le comparse. Vas-y d'abord. Après, je te les donnerai. Je vais attendre ici. Vas-y. Après, tu l'auras.

Cantique ramena sa main dans sa poche et regarda, avec un sourire niais, les visages qui l'entouraient.

Puis il fixa les câbles qui pendaient là-bas et sortit soudain en fredonnant :

— C'est le mois de Marie, c'est le mois le plus beau.

Il faisait de grands pas, les genoux serrés, en se branlant de haut en bas comme c'était son habitude. Il prit le trottoir de l'église et marcha résolument. Les jeunesses se regardèrent, interloquées, riant jaune. Plusieurs, y compris le farceur, filèrent dehors et disparurent.

Cantique se dirigea vers le temple, entra, enleva sa casquette d'hiver qu'il déposa par terre comme on dépose un paquet ; il fit un grand signe de croix avec de l'eau bénite, mit les mains sur les hanches et tourna autour des trois câbles, les épiant comme un animal qui va bondir.

Et il bondit, empoigna le gros câble, grimpa, boum... La cloche roula, revint ; Cantique, en joie, se cramponnait au câble, et la lourde cloche le souleva de terre ; il perdit l'équilibre, tomba, se releva. Boum... répondit la grosse cloche ; grisé par le bruit, il prit les petits câbles, les tourna dans ses poignets et se mit à les agiter brutalement l'un après l'autre.

Le bruit lui déboulait sur la tête et l'excitait ; il continua ainsi quelques secondes.

Deux ou trois vieilles, qui faisaient le chemin de la croix, sortirent en courant par les portes de la nef ; et les cloches à toute volée sonnaient dans l'après-midi.

Le village arrêta de souffler un instant, pour se demander ce qui se passait ; des rumeurs parlant de feu ou de catastrophe faisaient déjà le tour des rues ; les commères sortirent ; le bedeau, qui travaillait au cimetière, rentra dans l'église à la course et parvint à arrêter Cantique en lui montrant le bon Dieu d'un geste sévère ; le curé, tête nue et les bras en l'air, accourut lui aussi par la porte de la sacristie. Il vit Cantique et comprit. Il lui demanda des explications. Cantique ne dit pas un mot. D'un coup de poignet, il essuya la sueur à son front, ramassa sa casquette et, dans le grand silence qui venait de tomber, s'en alla tranquillement.

Il vit l'attroupement devant l'église sur le trottoir, baissa les yeux, fit un détour et entra dans le restaurant.

Il regarda partout ; il marcha jusqu'au fond de la salle, jetant un œil à chaque table : personne. Il blêmit, fronça les sourcils et, pour la première fois, serra le poing dans sa poche.

Il se retira en chantonnant « C'est le mois de Marie... » et erra dans les rues du village jusqu'au soir.

Quelques jours plus tard, près du petit lac, il rencontra celui qu'il cherchait.

Le farceur ne l'avait pas aperçu.

Cantique s'approcha de lui, la main ouverte, et dit très doucement avec son sourire :

— Cinquante cents.

L'autre se mit à rigoler :

— Allô, Cantique. Viens-tu prendre un verre ?

Le fou ne bougeait pas. Il répéta :

— Cinquante cents.

Le farceur haussa les épaules, recula en plaisantant :

— Je n'en ai pas. Aujourd'hui, je n'ai pas d'argent. À demain, Cantique !

Alors Cantique cracha par terre, l'œil en feu, se claqua sur la cuisse, prit l'autre à la gorge et serra.

L'autre cria, se débattit, rua, frappa inutilement ; avec peine et misère, il parvint à sortir de ses poches une poignée de monnaie et l'offrit en tremblant.

Cantique laissa la gorge, prit une pièce de cinquante sous, se tourna du côté du lac, la lança dans l'eau de toutes ses forces, puis du coude gauche il bouscula le farceur qui roula sur le dos et, dans le chemin libre, il s'éloigna en chantonnant :

— C'est le mois de Marie, c'est le mois le plus beau.

Le lendemain soir, un groupe de gamins (payés par le farceur) semèrent l'épouvante dans le troupeau de vaches que Cantique, chaque soir, ramenait du pacage public et distribuait bête par bête dans leurs cours respectives.

Ce soir-là donc, les gamins surgirent tout à coup de derrière une maison abandonnée en lançant des cailloux et du sable.

Et les bêtes surprises, affolées, se dispersèrent dans toutes les directions.

Une des vaches, Blanchette, avait couru dans la ruelle, pour déboucher sur la rue commerciale où il y avait beaucoup d'activité à cette heure-là. Elle se fit frapper par un camion et resta là, étendue sur le ciment, les jambes cassées.

La foule se massa, les langues allaient leur train ; on accusait Cantique ; et lui, abattu et triste, essayait de lever l'animal en le tirant par les cornes.

Le propriétaire de la vache fut demandé sur les lieux, vit l'état de sa bête et donna l'ordre aux policiers de la tuer. Deux coups de pistolet claquèrent. La vache se raidit, roula de l'œil, sortit la langue. Elle était morte. On l'emporta.

L'aventure finie, Cantique, pour la première fois de sa vie, pleura quand il fut bien seul chez lui, et il ne voulut plus prendre charge des vaches.

À force de le supplier, un voisin finit par lui faire accepter de s'occuper de sa bête. Cantique accepta. Tous les soirs, on le voyait passer avec un licou et une corde, précédant l'animal, épiant les ruelles, les arbres et les gens.

Il était malheureux, il avait peur des enfants et des hommes. De ce jour, il cessa de chanter. Il se sentait montré du doigt comme une herbe folle qui dépasse du gazon ; et c'était un homme. Il passait des journées entières dans les bois, à regarder couler les ruisseaux.

Mais, un après-midi par semaine, il ne s'éloignait jamais de la maison. Le jeudi. Ah ! le jeudi. Il avait ce rendez-vous hebdomadaire, qui lui faisait oublier la laideur de la vie.

Comme un amant attend celle qu'il aime, il se préparait le jeudi midi, regardait souvent l'heure, piétinait dans la cour, impatient, nerveux ; et vers les trois heures enfin... passaient près de chez lui en riant comme l'eau des cascades, les demoiselles du couvent qui se rendaient à l'église, répéter les cantiques du dimanche.

Blotti contre la clôture (car il n'osait plus se montrer sur les cordées de bois) il regardait entre les fentes, dans la direction des fenêtres ouvertes, et laissait descendre jusqu'au fond de son âme les voix de fillettes qui disaient :

— Ô Sainte Vierge,
venez chercher votre enfant,
cette terre est misérable...

Le Feu sur la grève

Des agrès de pêche dorment sur le rivage. Un filet, comme une grosse toile d'araignée, pend entre deux roches pointues. La nuit est froide.

À dix pieds de sa cabane, l'homme fait un feu sur le sable, un feu de branches et de sapinages. Il a rapaillé tout ce qui traînait sur la grève : des morceaux de planches, des racines avec des nœuds comme des muscles, et des rondins durs comme des os. À un bel endroit ouvert à la nuit, face au fleuve, il a fait un feu.

Pour l'attiser, il y jette des paquets de feuilles de l'an dernier, des feuilles sèches qui brûlent comme des copeaux ; les branches craquent comme des doigts de vieille.

Il y a des étoiles là-haut, de grandes poignées partout : et un morceau de lune à l'ouest, comme une corne. Le feu veille.

La flamme monte droite, soufflant des tisons rouges qui filent comme des lucioles et s'éteignent.

De temps à autre, pour modérer la flamme, l'homme jette une branche de sapin vert, puis il regarde et attend. Une fumée noire se déroule, se déroule lentement du brasier comme une énorme chevelure de femme.

L'homme est là sur la grève, avec trois forces qu'il connaît bien : l'eau, le feu et le vent.

Il s'assoit, rapetisse ses yeux et questionne le fleuve qui passe à ses pieds.

Il attend quelqu'un, une barque, et essaie de deviner avec ses yeux si elle va bientôt paraître.

Soudain l'homme se met à crier : « Fleuve ! Fleuve ! »

Et la mer qu'il connaît bien lui répond :

— Qu'est-ce que tu as à hurler ?

— Avez-vous du nouveau ?

— Ne crie pas si fort. Je suis à tes semelles. Qui es-tu ?

— Grégoire Houle.

— Ah ! C'est toi ?

— Oui. Grégoire Houle.

Et ils se mirent à parler ensemble, l'homme et la mer.

— Vous avez pas de nouveau pour moi ?

— Non. Attends-tu quelqu'un ?

— Oui. Une barque.

— Eh bien ! attends-la.

— Vous n'en sentez pas une sur votre dos, qui vient du Sud ? J'attends mon garçon.

— Il est parti à la pêche ?

— Oui.

— Je ne l'ai pas vu.

— Vous avez pas rencontré personne, franchement ?

— Je ne remarque jamais. Je passe sans regarder. Recule-toi un peu, ou je mouille tes souliers. Je passe. Laisse-moi passer.

— Vous dites jamais rien, vous, hein ?

— Parce que je ne connais rien, moi, penses-tu que je ne transporte que des pêcheurs ?

— Vous parlez pas. Je le sais. Faut vous deviner.

— Je fais le tour du monde. S'il fallait que je catalogue tout ce que j'ai vu et tout ce que je vois, je n'aurais pas fini.

— D'abord que vous l'avez pas vu, passez.

— Je fais le tour du monde, que je te dis. Sais-tu depuis combien de temps ? Des milliards d'années. J'ai vu les glaces, les perles, les diamants, le sel, la Chine, le Nord, la Manche, les Îles. Je roule. Je n'ai pas vu ton garçon. Tu sais maintenant pourquoi ?

— Vous devriez vous donner la peine de le regarder.

— Pourquoi ?

— Parce que mon garçon, c'est pas un garçon comme un autre.

— Tu m'as déjà dit ça. Et pourquoi donc ?

— Je sais pas.

— Le feu sur la grève, c'est pour lui ?

— Oui. C'est pour lui. Pour pas qu'il se perde.

— Tu l'aimes, ton fils ?

— Je chavirerais pour lui. Vous, vous aimez personne ?

— Je n'ai pas le temps. Je passe. Pourquoi l'aimes-tu tellement, lui ?

— Parce qu'il a une histoire.

Presque tous ceux qui vont en mer ont une histoire.

— Une histoire, oui. Lui, c'est pas pareil.

— Quelle est son histoire ?

— C'est long à expliquer. Il y a du pays dedans. Le pays, ça vous dit rien non plus ?

— Non. Je passe. Je n'ai pas le temps.

— Mer, si vous regardiez mon garçon, vous le reconnaîtriez.

— Peut-être. Est-ce que je l'ai déjà vu ?

— Oui.

— Et qu'a-t-il de si extraordinaire ?

— Quelque chose.

— Quoi ?

— Il a quatre cents ans.

— Ah ! Quatre cents ans ?

— Ça vous rappelle rien ? Forcez-vous un peu.

— La mer se souvient rarement. Je passe sans remarquer.

— Vous devinez ce que je veux savoir. Tous les soirs, je vous le demande, vous ne voulez jamais parler.

— Ça te ferait plaisir, l'histoire des trois voiliers ?

— Ça fait des mois que j'attends que vous me la racontiez.

— Ce soir, je suis de bonne humeur. Attends que je me rappelle... Il y a de ça à peu près quatre siècles ; j'ai emporté sur mon dos trois bateaux à voiles. Je les ai conduits, je ne me souviens plus trop, par en bas.

— C'est ça, continuez.

— Trois grands bateaux à voiles, blancs comme de l'hermine.

— Continuez. Quelle sorte de gars, qui étaient à bord ?

— Des hommes barbus, forts.

— Oui, oui.

— Attends. Je les ai pris sur les côtes de France.

— C'étaient des Français ?

— Ils parlaient comme toi.

— Ensuite. Lâchez pas. Continuez.

— Écoute. C'étaient des hommes solides et je sais ce que je dis. Je n'aime pas beaucoup ceux qui me bravent. Eux m'avaient bravée. Je les ai ballottés longtemps parce qu'ils m'avaient bravée.

Quand je veux faire danser, je fais danser ; souvent ça finit par la pirouette, quand je veux, tu le sais ? Eux, je les ai éprouvés. Et je leur fichais des peurs pour voir. J'ai vu.

C'étaient des hommes durs, décidés, qui se tenaient à la barre et qui chantaient des hymnes. Ça m'a plu. Je me souviens, ils avaient les yeux du côté de l'Ouest. Ils voulaient trop arriver, ça m'a émue. J'ai compris qu'ils avaient un but qui dépassait la vulgaire aventure.

Il y avait des soutanes à bord, et des marins aux mollets comme des cailloux. Presque tous des jeunes. Alors je me suis calmée ; je me suis abandonnée.

Je leur ai aidé en poussant ; tu dois savoir ce qui arrive quand je pousse. J'ai fait ça parce que c'étaient des hommes qui me plaisaient. J'entendais un mot de temps en temps de ce qu'ils disaient entre eux : colonisation, évangile, paysannerie, Nouvelle-France. Je me disais : donnons-leur une chance ; ils sont unis, ils sont sérieux, ils ont confiance. Et le plus beau, c'est qu'ils chantaient des hymnes dans la langue que tu parles, toi, avec des larmes sur les joues. Imagine-toi. Je me suis accroupie comme un chameau qui laisse descendre son maître. Je me suis apaisée à cause des hymnes, mêlés avec l'audace.

Il y en avait un entre autres qui se tenait toujours en arrière pour ne pas déranger, mais que je sentais prêt à grimper aux cordages sur un signal ; un timide, aux yeux doux comme quand je suis tranquille, solide comme une de ces falaises qui me regardent passer en Gaspésie ; un beau jeune homme qui suivait le tangage avec ses jambes bien arquées, comme les plus vieux à bord.

Je me suis dit : « Lui c'est le germe, c'est le précieux, c'est lui qui va ensemencer là-bas ». Alors, je me suis calmée à cause de lui... qui avait l'air d'une promesse.

— Voilà l'histoire que tu m'as demandée. Es-tu content ?

— Merci.

— Si ton garçon a quatre cents ans, comme tu dis, il devait être parmi ceux-là... Tu ne réponds pas ?

— Je réponds pas, parce que vous me rendez trop joyeux pour parler... Vous voyez la barque qui s'en vient là-bas ?

— Oui, je la vois.

— Vous voyez sa tête dure, ses cheveux au vent, ses yeux doux, puis ses bras dans les câbles ?

— Oui, je vois. Et je le reconnais. C'était lui, le timide à bord du voilier, avec les barbus. Je le reconnais. Je te félicite. Il n'a pas changé. C'est ton fils ?

— C'est la race.

— Ah! c'est lui ?

— Oui. C'est mon garçon. J'avais raison de dire qu'il avait une histoire ?

— Oui. Il y en a plusieurs qui pensent comme lui ?

— Quatre millions.

— Combien ?

— Quatre millions et plus qui parlent comme lui.

— C'est vrai ?

— Oui.

— C'était un germe de race, j'y avais pensé. Tu me rends de bonne humeur, toi. Et maintenant, je vais le dire, le hurler au monde, ça te plaît ? Quand je dis hurler, tu sais ce que je veux dire. Bonne nuit. Ne me parle plus. J'ai tout un continent à rouler. Adieu.

Le vieux Grégoire Houle, ému, regardait venir son fils dans la barque et murmurait :

— Voilà la race. L'enfant des grands sacrifices ! Viens ! Viens !

Puis, la réalité est là : une barque se montre le nez dans le noir, s'avance à tâtons, se traîne le ventre sur la glaise.

Le vieux s'agite, enlève son chapeau, signale et dit en regardant l'eau qui mouille ses souliers:

— Non. C'est pas n'importe qui !

Un jeune homme, pieds nus, saute sur la grève, tire le câble, attache son embarcation à un tronc d'arbre et rit de voir rire son père.

— Bon voyage ?

— Extra.

— De la misère ?

— Pas trop.

— Fatigué ?

— Un peu.

— Tu voyais le feu, oui ?

— Je l'ai pas lâché des yeux.

— Rentrons.

Et les deux hommes rentrèrent dans la cabane. Il y avait du pain, du beurre et du poisson sur la table. Le plus jeune mangea vivement, comme un animal qui a faim.

L'autre le regardait et fumait.

— Tu as fini ?

— J'achève.

— Prends ton temps.

— Ça fait du bien, manger. Ma fatigue est partie.

— Rien ne presse.

— Une belle nuit, hein ?

— Oui. La barque ?

— Extra.

— Docile ?

— On dirait qu'elle comprend.

— C'est nous autres qui l'avons faite. En t'attendant, tantôt, j'ai jasé avec la mer.

— Moi, j'ai jasé avec le vent tout le long de la traversée.

— C'est une nuit pour ça.

— Qu'est-ce qu'elle a dit, la mer ?

— On a jasé tranquillement.

— Moi, je me suis chicané.

— Avec le vent ?

— Oui. Il était irritant ce soir par bouts, mais je ne m'en suis pas occupé. J'ai fait comme vous m'aviez dit. J'ai regardé le feu. Ç'a marché.

— Quand on se guide sur une lumière, pas d'erreur, ça marche.

— J'ai déviré une couple de fois, mais je me suis replacé.

— Sais-tu ce que la mer m'a dit ?

— Non.

— Qu'elle te connaissait.

— Elle doit. Je suis souvent avec elle.

— Elle te connaissait depuis longtemps.

— Combien de temps ?

— Quatre cents ans.

— Quatre cents ans ? J'ai rien que vingt-deux !

— Les premiers qui sont venus, tu comprends ?

— Ah! la race ?

— Oui. On a parlé de la race. Elle m'a dit que tu

94

ressemblais à un des jeunes qui étaient à bord du voilier, il y a longtemps.

— Elle a dit ça ?

— Oui.

— Je suis content.

— Il en reste encore de ceux qui ont pas changé. Ils sont venus. Ils ont bâti. Ils croyaient. On continue la terre, la pêche, la langue, la foi. Depuis quatre cents ans il y a un feu sur la grève.

— Ça s'appelle tu sais comment ? La patrie.

— Oui, je comprends.

— Quand je serai parti...

— Je le laisserai pas s'éteindre.

— Je suis pas inquiet.

— Un voilier, vous disiez ?

— Oui. Un beau. Tout blanc. La mer me l'a dit.

— Bien des voiles ?

— Ça devait. Des grandes voiles.

— C'est versant, ça ?

— Je comprends.

— Il y en a encore des pareils ; des marins-défricheurs, des marins-missionnaires, des marins-colons, des marins-cultivateurs, avec les manches pleines de trous à la place où on met des galons. Il y en a encore qui croient à la race. Moi, j'y crois, à la souche. Tu as jasé avec le vent tantôt ?

— Oui. Il voulait me faire dévirer. J'entendais comme une voix de femme dans le chenail. Une chance que j'avais les yeux collés sur le feu, parce que, sans ça, j'aurais laissé ma route, j'aurais suivi ailleurs. Ça m'invitait dans le chenail, j'étais pas capable de me boucher les oreilles. Vous savez ce que c'est du vent avec une voix de femme ?

Les deux hommes firent silence. Puis le fils évoqua pour son père la voix dans le vent qui tout à l'heure avait voulu le séduire avec des paroles comme celles-ci :

— Viens. Laisse le gouvernail. Couche-toi. Tu es fatigué. Ce n'est donc jamais ton tour de te reposer. Moi je vais te conduire. Assieds-toi. J'en ai traversé plusieurs à la voile. Je vais prendre le gouvernail. Je connais la mer, les récifs. Laisse-moi conduire. Il n'y a pas que ton feu de grève qui soit bon ; il y en a d'autres, et qui ne conduisent pas à une cabane dans le sable, mais aux larges avenues grouillantes de monde. Tu n'auras plus à réfléchir, puisqu'il y a là des idées toutes faites ; qu'attends-tu pour te vêtir de neuf ? Viens voir passer le siècle ; ah ! les grandes salles d'oubli, si seulement tu voulais m'écouter ! Alors, j'ai crié : Va-t'en. Je connais ma vérité. Va-t'en !

— Tu as crié ça dans le vent ?

— Oui.

— Tu as bien répondu.

— J'ai manqué de ne pas avoir la force. J'ai eu peur une petite seconde. Là, j'ai ramassé mon courage, puis j'ai dit :« Je connais ma vérité ». Ça m'a donné un coup de fouet à moi aussi. Mon aplomb est revenu. Je suis sorti du chenail. La barque s'est replacée. Le feu grossissait. J'étais content.

— C'est vrai que le vent aurait pu t'emporter à des ports plus gais qu'ici, où il y a des plaisirs, mais les bien racés peuvent pas endurer de mollesse. Tu es venu, à la vieille cabane. C'est bien. Ceux du voilier, s'ils te voyaient, seraient contents. Les premiers, ceux qui sont venus allumer le feu sur la grève. Ils se feraient amis avec toi.

— Vous pensez ?

— Oui. C'est tout ce que le vent t'a dit ?

— Il m'en a dit plus long, mais ça revient à des choses comme celles-là. Vous, c'est tout ce qu'elle vous a dit, la mer ?

— Oui. On a parlé de toi.

— Elle aime ça passer par ici, sur le fleuve ?

— Une place ou l'autre, je crois bien que ça lui fait pas de différence, mais notre fleuve, elle le hait pas.

— Fumez-vous ?

— Non. Je vais me coucher. Fume si tu veux.

— Je vais ouvrir la fenêtre. Il fait doux cette nuit.

— Ouvre-la si tu veux... Entends-tu ?

— Oui. La mer chante.

— La mer chante.

— Le feu sur la grève, vous disiez que c'était la patrie ?

— Oui, la patrie. Plus on met du bois, plus ça brûle.

Plus on dit, dans les écoles, que la province de Québec, c'est la plus belle place au monde, plus le feu est haut.

Plus les petites filles sont fières de parler le français, plus le feu est clair.

Plus il y a de monde dans les églises, plus le feu chante sur la grève. Un feu, tout dépend de ce qu'on met dessus ; du sable, ça l'éteint ; il faut pas dire qu'on n'est bon à rien. Jamais. Ça éteindrait le feu.

Faut rire, chanter, danser, écrire, peindre, s'amuser dans notre langue ; ça c'est des belles brassées de bouleau dans le feu.

Un beau concert, une belle conférence, une belle messe bien chantée, une belle terre, ça c'est des grosses bûches de merisier dans le feu. Ça réchauffe, ça brille, ça protège, ça conserve. Tant qu'on aura de ça, il y a pas de soin, il y aura une patrie sur la grève.

— Le vent, lui, qu'est-ce que c'est ?

— C'est le mauvais conseiller, l'ami qui embrouille. C'est celui qui comprend pas le voisin, qui rit des grosses familles ; le pessimiste, le changeant, le vireux qui promet puis qui tient pas ; qui souffle d'un bord une journée, de l'autre bord le lendemain ; celui qui nuit plus qu'il aide.

Le vent, c'est l'esprit mêlé qui décourage, qui éparpille les barques sur la mer.

Une belle barque solide, bien faite, tu sais ce que c'est ? Une barque qui fonce à travers la vie, bien en ligne sur le feu, en luttant pouce par pouce, sans s'occuper de rien. Une belle barque, c'est ce qu'il y a de plus beau sur toute la mer.

C'est un jeune qui aime son pays, ses voisins, sa paroisse ; qui décroche une belle action des fois, sans que ça paraisse, comme un gars qui met le pouce à sa casquette en passant devant une église, sans que ça paraisse. Une belle barque, c'est ce qu'il y a de plus beau sur la mer.

Tant qu'il y aura des barques bien droites, étanches, bien balancées, avec un beau poitrail en rond, la mer sera contente de rouler. Dans cent ans, elle sera contente de passer encore par ici sur le fleuve, juste pour les voir, les bonnes barques d'ouvriers, bien enlignées sur le feu, se débrouiller entre deux vagues. Trouves-tu que ç'a de l'allure ?

— Je dirai ça à mes enfants.

— Comme mon père m'avait dit de te le dire. Mais écoute bien. Quand on prend des exemples de courage, de ténacité, chez les ancêtres d'il y a deux ou trois siècles, c'est pour se souvenir doucereusement qu'on a possédé des valeurs héroïques, mais c'est pour admirer, encourager ceux d'aujourd'hui qui possèdent, sans le savoir, absolument les mêmes dons que leurs aïeux.

— Je parlerai des ancêtres à mes enfants.

— Oui. Ça réjouit et ça encourage !

Monsieur Scalzo

Il s'appelait Scalzo. C'était un Italien, musicien et jardinier comme il devait l'être dans son pays. Il jouait l'accordéon et gardait des fleurs sur son toit. Petit, figure rouge, cheveux gris, très épais, une voix chaude, des «r» sonores, beaucoup de gestes, un grand sourire : c'était lui.

Quand cinq heures criait à l'usine, en vitesse, nous les enfants sautions sur le bout de la galerie et, jambes pendantes, regardions les hommes en habit de travail défiler près de nous sur le trottoir, deux par deux, leur boîte à dîner sous le bras. Monsieur Scalzo en passant nous faisait le bonjour avec le «r» et ça nous amusait. Il tournait à droite dans la ruelle. Un escalier montait au fond. Lentement, sans passer de marche, parce qu'il était fatigué, il grimpait puis disparaissait derrière un mur et réapparaissait en haut sur le toit, chez lui avec les fleurs. Alors il enlevait sa blouse d'usine, son chapeau mou, ses bottines et, les manches relevées, il aspirait plusieurs grandes bouffées d'air en se frottant les bras, puis il se plongeait la face dans un bassin d'eau que sa femme posait là chaque soir.

À travers les tiges vertes, les bouquets rouges, les fleurs jaunes qui ne poussaient que chez lui, on le voyait commencer sa visite de botaniste, s'arrêter à chaque pot, inspecter les pousses, le canif à la main, glisser les doigts sur des boutons roses, ou rester de longs moments le nez enfoui dans une corolle. Quelquefois, il nous lançait une feuille ou une fleur. Nous courions la ramasser avidement, comme une pièce d'argent que l'on trouve.

Puis il arrosait son jardin et nous le guettions ; il savait pourquoi et, volontairement, nous faisait languir. Nous lui faisions des signes et des gestes, et lui se contentait de rire. Quand tout était fini, il secouait ses mains, donnait un coup d'épaule en arrière pour déplier son dos qui courbait, et rentrait chez lui à reculons. Alors, nous cessions subitement de nous amuser. Quelque chose de beau se préparait. Nous nous assoyions dans les herbes, l'un près de l'autre, le dos sur la clôture de bois, et chut... le cœur nous battait.

Dans le soir, c'était d'abord loin, incertain comme une rumeur, puis nos oreilles distinguaient une note, une autre, d'autres, enfin tout un accord parfait. Alors la porte s'ouvrait et, sous le soleil tombant, apparaissait, avec un sourire large comme son beau clavier d'ivoire, monsieur Scalzo, radieux parmi les fleurs, attelé dans son accordéon blanc. L'instrument s'étirait, se pliait, se dépliait en rampant comme une danseuse et, à chaque mouvement, les accords se précipitaient l'un sur l'autre, montaient : le ciel en était plein.

Marches, tarentelles, romances, mazurkas, paso doble, et soudain un long accord soutenu comme une page que l'on tourne nous immobilisait, attentifs, comme à la veille de découvrir une belle histoire ; et sur un thème langoureux, mineur, nouveau, nous nous sentions emportés ;

les oiseaux rapides effleuraient nos têtes, accourant au concert ; tout l'univers recueilli, immobile, écoutait le jardinier semer des mélodies dans nos cœurs.

Et monsieur Scalzo se balançait comme un dompteur qui aurait commandé aux gammes de séduire. Combien de temps durait cette magie ? Souvent, elle cessait en même temps que le jour. Comme quelqu'un qui se sent toucher sur l'épaule, nous nous retournions ; il faisait brun. Nous ne voyions plus monsieur Scalzo, c'était la nuit déjà. Nous passions par le trou où manquait une planche, serrant dans nos doigts un bout de tige épineuse ou un pétale de fleur rare que nous allions cacher entre les pages de nos contes de fées.

L'Orage

Le soleil s'était levé rouge, ce matin-là, dans un grand ciel rose, immobile et pesant.

L'air était vide, sans brume ni brise. On pouvait voir jusqu'au bout des prairies.

Les oiseaux volaient au ras de terre, sans crier.

Les chiens, le museau vers le nord, allongés sur la terre froide sous les galeries des maisons, *silaient* en se rapetissant les yeux.

Que les mouches étaient collantes !

Les hommes, tête basse, allaient pesamment et leurs pas soulevaient de petites touffes de poussière.

Dans l'avant-midi, par trois fois, on avait entendu gronder le tonnerre, de très loin ; les troupeaux de vaches avaient pris leur course en beuglant.

Depuis deux semaines, il n'avait pas plu. Les puits baissaient.

Les plantes assoiffées, avec leurs grands doigts maigres, suppliaient pour avoir de l'eau. Et le soleil rouge du mois d'août montait.

Vers midi, un nuage noir parut dans le nord, comme un dos de grosse montagne. Il bougeait et bousculait les autres nuages qui, à la fin, se mêlaient à lui.

Un paysan se rendant à l'étable, une chaudière à la main, avait murmuré en fronçant les sourcils : « l'orage ».

Durant tout l'après-midi, le ciel se chargea, se barbouilla de noir. Vers quatre heures, le soleil disparut. Une fraîcheur passa sur la terre. Les arbres commencèrent à s'agiter. Des tourbillons de poussière couraient sur les routes et soufflaient des papiers et des feuilles mortes. Ça sentait la poudre.

L'orage était là, suspendu au-dessus des maisons, et ne se décidait pas à tomber.

On enlevait le courant électrique dans les demeures.

Les enfants déménageaient leurs jouets dans la cuisine où étaient les parents.

Les hommes regardaient tranquillement leurs femmes, en fumant pour les rassurer. Le tonnerre roulait.

La pluie commença à tomber par écharpes raides, puis s'arrêta net.

Sur la route, un homme seul en automobile tourna en hâte dans une cour de ferme, sauta en bas de sa voiture et, précipitamment, frappa à la maison de l'habitant qui demeurait là.

Il entra et dit en poussant la porte avec son dos :

— Vous me permettez ?

Il était nerveux. Les enfants le regardèrent. Il était bien vêtu.

— Je peux m'asseoir pour la durée de l'orage ?

Il riait jaune. Le père lui fit signe de s'asseoir.

— Parce que tout seul sur la route pendant l'orage, j'aime pas ça...

— Vous êtes chez vous, répondit le père.

Et l'étranger s'assit en examinant la pièce sombre. Dehors, le temps était couleur de cierge.

— Je ne dérange pas, toujours ? demanda-t-il.

— Non, dit le maître de la maison.

Un éclair rentra par toutes les fenêtres à la fois. L'étranger ramena le bord de son chapeau sur ses yeux. Le tonnerre claqua.

— J'aime pas ça, dit-il.

Le père se berçait en silence.

— On est bien à l'abri ici ? demanda-t-il.

Le père alluma sa pipe. L'autre continua :

— Il n'y a pas de danger pour le tonnerre ? Les arbres, tout ça, ils disent que ça l'attire ? Parce que je suis pas habitué à la campagne. Houp ! Un autre éclair. J'aime pas ça.

Le père le regarda paisiblement et dit :

— Craignez pas.

— Je viens de la ville, essaya d'expliquer l'autre au milieu des éclairs. Ma femme m'a dit de remettre le voyage. J'aurais dû l'écouter. On devrait écouter les femmes, nous autres les hommes. On devrait. Je suis parti pareil. Houp !...

Et il se boucha les yeux. Un éclair courut.

— Vous avez le téléphone ici ? demanda-t-il.

L'habitant fit signe que non.

— Quand même, les fils sont peut-être cassés. Avec un vent de même...

Et l'étranger tambourinait sur ses genoux avec ses doigts.

— Ça va durer longtemps encore ?

Le bonhomme répondit :

— Une vingtaine de minutes.

L'autre fit la grimace.

— C'est long. Houp !

Et de nouveau, il ferma les yeux.

— Demain, dans le journal, continua-t-il nerveusement, vous verrez une liste d'accidents ; peut-être des
morts aussi.

Un des enfants de l'habitant, une fillette, se colla
sur sa mère et dit :

— J'ai peur !

L'étranger poursuivit, les yeux blancs :

— À tous les orages, il y en a des morts. Il y a deux
ans, un de mes cousins, en traversant un parc...

— Fumez-vous ? coupa le bonhomme.

— Non merci, dit l'étranger. Et il continua :

— Il y a deux ans, mon cousin germain...

— Donne donc une allumette, la petite, coupa l'habitant pour la deuxième fois.

Mais l'autre :

— Toujours que, un éclair...

— Vous fumez pas, certain ?

— Non merci.

— J'ai du bon tabac, vous savez ?

— Je n'ai pas le goût.

Alors l'habitant lui dit :

— Vous avez le goût de conter des histoires. On se
les contera après l'orage. Vous apeurez la petite pour rien.
Si vous voulez parler absolument, dites quelque chose de
doux, c'est le temps.

L'étranger s'arrêta, baissa les yeux et dit :

— Je suis nerveux. Excusez. J'aime donc pas ça.
Mais vous avez raison, il faut se tenir tranquille.

— Fumons.

— Il y a un paratonnerre sur la maison ?

— Non, dit l'habitant.

— Et sur les granges ?

— Non. Je ne pense pas qu'il y ait de danger,

répéta l'habitant. La maison en a vu d'autres avant aujour-d'hui. Il n'y a pas de crainte.

— Vous me réconfortez.

L'étranger respira :

— Vous êtes pas peureux vous autres... Ils disent que c'est bien pratique un paratonnerre ?

— Oui.

Il se tourna vers la fenêtre en essayant de rire et dit :

— Regardez si ça tombe ! Tant mieux. Que ça se fasse au plus vite... la maison est solide ?

Le père ne répondit point. Il demanda :

— À quelle place vous alliez, toujours ?

L'autre, avec un peu de gêne répondit :

— J'allais *collecter* dans le rang.

Il fit silence et continua :

— Je fais un ouvrage bien déplaisant, le plus dé-plaisant du monde. Imaginez que je *collecte* les pauvres diables qui ont des dettes. Je travaille pour un magasin. Je saisis ceux qui payent pas : l'affaire que je déteste le plus au monde. C'est pas dans moi : arriver, puis sortir le ménage, c'est pas toujours drôle.

— C'est à vous, la remorque derrière votre auto ?

— Oui. C'est mon gagne-pain... Qu'est-ce que vous voulez !

L'habitant branla la tête avec tristesse et déclara :

— Vous faites pas des choses plaisantes.

— Non certain, enchaîna l'autre. Houp ! Un éclair ! Ah ! le tonnerre !

Et il plongea ses yeux dans le fond de son chapeau.

— J'aime donc pas ça.

— Je pensais que vous étiez commerçant, continua l'habitant.

— Non, dit l'étranger, j'aimerais mieux l'être que

109

de faire ce que je fais... Un autre éclair ! Deux de suite ! Deux vrais ! Je plains les chauffeurs sur la route. Un accident est si vite arrivé !

Le père se tut un instant. Puis il demanda :

— Saisir, ça doit être dur ?

— Oui, expliqua l'étranger. Des fois, c'est pas de leur faute à ceux qui ne payent pas : ils ont pas d'argent.

— À la campagne surtout, l'argent est plus rare.

— Je fais mon devoir. C'est dur, déclare l'autre, navré. Puis, tout bas, il annonça :

— Je suis catholique, vous savez. Si vous voulez faire un bout de prière...

Le père répondit :

— Si ça augmente. Mais je pense pas. La mère dit le chapelet, l'autre bord.

— C'est beau, déclara l'étranger en regardant devant lui ; on est en sûreté.

— C'est de même qu'on passe les orages.

— Avec un cierge allumé dans la maison, vous pensez qu'il n'y a pas de danger ?

— Ça nous a protégés jusqu'à aujourd'hui.

— C'est beau de croire. Moi aussi je crois. On fait des folies comme ça, mais dans le fond, on admet tous qu'on n'est pas grand-chose. Ça fait du bien. Ma femme aussi doit prier. En partant, elle m'a dit : « Luc, vas-y pas. Reste. L'orage ». Vous savez comment c'est, nous autres : « Aie pas peur, crains pas ». Mais eux autres, les femmes, ça le sait. Je lui conterai que je suis venu ici... Votre nom, vous autres ? Houp ! Un éclair ! J'aime donc pas ça...

Le ciel se vida, complètement. Tout orage a une fin. Le soleil perça de nouveau, en traînant des rayons neufs et luisants sur la terre rafraîchie. L'eau ruisselait dans les rigoles et les allées du jardin. Les feuilles dégouttaient. Les oiseaux, en équilibre sur les pignons pointus, séchaient leurs plumes dans le vent. Les poules, une par une, sortaient de l'étable en jasant.

L'étranger partit, tout en politesse, un peu gêné de n'avoir pu retenir sa peur.

Le père chaussa ses bottes, attela, et avec son fils, monta dans les champs pour le train du soir.

Quelques heures plus tard, pendant le coucher du soleil, dans un beau soir reposé comme à un réveil, la même automobile monta dans la cour. C'était l'étranger qui revenait. Le père, content, le reçut à la porte.

— Tiens, c'est vous ? De la visite... Vous arrivez juste pour souper.

L'autre, manteau ouvert et cigarette au bec, claquant la porte de sa voiture trancha nettement :

— Non. Je suis pressé, merci.

— Entrez donc.

— Pas la peine, merci.

— Vous avez oublié quelque chose ?

— Oui. Mon chapeau.

— Votre chapeau ?

L'habitant cria :

— Marthe, va donc voir pour le chapeau. Elle va revenir, ça sera pas long, dit l'habitant de bonne humeur.

L'autre répondit durement.

— Bien aimable.

— Voulez-vous vous asseoir ?

— Non, merci.

L'habitant fut surpris de cette réponse. Il tourna, dit :

— Beau soleil ?

— Pas mal.

— C'est mieux qu'après-midi.

— Oui.

Tout est sorti ; les oiseaux, les mouches, tout. Si vous voulez souper...

— Non, merci.

— Notre peur est passée avec le beau temps ?

— Peur ?

L'étranger recula, insulté.

— Je ne comprends pas ce que vous voulez dire.

— Bien oui, cet après-midi...

— Ah ! Je ne me souviens pas.

— C'est vous qui êtes venu pendant l'orage ?

— Oui, oui.

L'habitant dit tout bas :

— Votre chapeau s'en vient.

— Je suis très pressé, lança l'autre.

— Ça sera pas long. Donnez-lui le temps.

Puis, s'approchant de la voiture, l'habitant dit :

— Il n'y a pas de honte à en parler...

— Je suis rentré à l'abri, c'est tout. Pensez-vous que c'était le premier orage que je voyais ! Je ne me souviens pas d'avoir eu peur.

L'étranger riait grassement.

— C'est pas un déshonneur, quand on n'est pas accoutumé.

— J'aurais voulu vous voir dans les bois de Saint-Philippe, l'année dernière, tout seul dans ma machine. Un orage trois fois comme aujourd'hui au moins. Un arbre tombé devant moi, à dix pieds, en travers du chemin. J'en ai vu d'autres avant aujourd'hui, cher monsieur.

— Vous vous replacez vite, déclara l'habitant.

— L'orage ou le soleil, qu'est-ce que ça peut me

faire ? On n'est plus des enfants. J'étais arrêté tantôt, pour téléphoner simplement, c'est tout. Au cas où ma femme se serait inquiétée.

— Ah !

— Parce que moi, des orages... vous savez ce que c'est que de voyager... On en rencontre tant qu'on veut. Sur la route c'est inévitable...

— C'est drôle certain.

Marthe, la fillette, arrive avec le chapeau.

— Votre chapeau, monsieur.

— Merci bien. Tu n'as plus peur, ma petite fille ?

— Non monsieur, dit l'enfant. Et vous ?

L'étanger sourit, démarra. L'habitant lui demanda :

— Vous avez fait votre saisie, toujours ?

— Ç'a bien marché.

— Je vois ça ; votre machine est remplie.

— Je voyage jamais pour rien, monsieur, dit l'homme de la ville. C'est mon métier. Qu'est-ce que vous voulez ! Il faut bien quelqu'un pour le faire.

— À qui c'était ce moulin à laver là ? demanda le père, pointant le moulin dans la remorque.

— À Alfred Dubouleau, répondit l'étanger.

— C'est pas de leur faute non plus, conclut le père.

— Une marchandise pas payée, on la reprend, continua le monsieur. C'est notre droit. C'est comme ça que ça marche.

En riant, il disparut sur la grand-route. L'habitant resta debout, à réfléchir :

— Il peut bien y avoir des guerres ! Un gars qui réussit si bien à se mentir porte pas la paix.

Lentement, il marcha en direction de son étable ; il pensait, se parlait à lui-même :

— Si on est désunis, c'est parce qu'il fait trop beau.

Un bon orage, ça unit. Ça fait penser qu'on est faible, qu'il y a Quelqu'un au-dessus.

Entre deux coups de tonnerre, après-midi, il a dit : je crois, faut croire. Il avait peur. Mais c'était une belle crainte qui le faisait beau.

La crainte du Grand, de Celui qui barbouille des orages plein le ciel... Le gars oublie que c'est le même qui peint des couchers de soleil plein le soir aussi ?

On se souvient des choses qui font mal. Les bonnes choses, on les prend comme si ça nous était dû.

Au sortir des orages, les champs sont plus verts, les fleurs s'ouvrent comme des yeux, l'air est propre, les chemins sont doux, les prairies s'amollissent. C'est comme au sortir d'une nuit. La terre se colore, la brume recule dans le fond des forêts. Il fait clair partout. La nature est reposée.

J'espère qu'au sortir de la guerre, le monde s'adoucira, les cœurs se retrouveront, l'agitation cessera. Il devrait y avoir une odeur de prière dans les âmes, comme sur un perron d'église un dimanche de soleil. L'orage a pas été assez long pour lui, après-midi. L'orage faisait juste commencer à le toucher, à le dompter, à le purifier. Il a pas duré assez longtemps. Plus le labour est creux, plus on fait mal à la terre, plus la récolte donne. Une charrue fait des ravages, mais si on n'en avait pas, il n'y aurait pas de moissons. La déchirure dans le sol, c'est la condition pour que vienne la semence. Comme pour chaque enfant qui naît, il y a les douleurs de la mère. Pour chaque matin qui paraît, il y a la lutte avec la nuit. Je pense que pour chaque homme au monde, avant qu'il parvienne à son aurore, il lui faut passer par les ténèbres.

Et l'homme de la terre continua à rêver :

— Faut battre le blé à tour de bras pour le séparer d'avec sa tige, ses écales, sa poussière. Après, il est beau, luisant, propre, doux au toucher... doux, c'est ça. Après, il est doux.

Pauvre univers!

Et il jeta un œil dans la direction des cités.

— J'espère que toutes vos souffrances ne sont pas inutiles, non, non.

Et il chassa la vision de l'étranger.

— J'ai hâte au premier matin de la paix, avec les cloches, les *Te Deum,* les soldats qui défileront dans le grand soleil... S'habiller comme pour une noce, faire un tour, voir sourire le monde. Après, se rechanger, déblayer, puis bâtir, bâtir... En attendant, c'est l'orage. Disons pas un mot. Si on n'est pas dehors à travailler, à sauver ceux que le tonnerre frappe, le moins qu'on peut faire, c'est de rester tranquille. C'est pas encore l'heure de rire. Non. Faut mériter de rire, de s'amuser. Endurons le coup de poing parce qu'il vient d'en haut. Revanchons-nous pas. Ça sert à rien. Humilions-nous, si on veut que la poignée de main vienne au plus vite.

Dans le fin fond de nous autres, franchement, les yeux dans la lumière, on mérite l'orage.

Il entra dans l'étable, se mit à travailler, soigna ses bêtes, il murmurait en même temps:

— J'ai hâte de sentir sur ma joue les premières chaleurs du lever. Cette minute-là, il faut qu'il y ait de l'amour plein la terre, parce qu'il me semble que le soleil va se recacher encore.

Il revint chez lui, cette tombée d'après-midi-là, obsédé par l'aurore.

Pour ceux qui restent

C'était le 23 décembre. Cinq heures du soir. La ville riait et les toits se laissaient habiller de blanc. Des trottoirs pleins de monde. Des vitrines bourrées de jouets. Des traîneaux chargés de provisions, tirés par des gamins. Des chevaux pomponnés qui s'en allaient en branlant les clochettes.

Il neigeait doucement sur l'heureuse capitale. Les jeunes filles étaient belles ; les policiers saluaient avec leur grosse mitaine enneigée ; ça chantait dans l'air ; jusqu'au violon du quêteux qui agitait son ruban rouge.

Lui, l'enfant, il voyait tout ça : et les embrassades, et les poignées de mains, et les souhaits lancés d'un trottoir à l'autre et les belles autos remplies de femmes qui riaient. Il aurait voulu prendre part à la fête, nager dans ce courant de joie, rire et crier Noël ; mais il s'en allait à la gare reconduire les camarades qui partaient en vacances ; lui ne partait pas.

Le long de la route, il blaguait, dévidait des mots sans suite, faisait le brave, mais c'était pour se donner un air, pour se cacher parce qu'il avait envie de pleurer. À dix-sept ans, dire « bonjour, amusez-vous, bonne année », et revenir au collège tout seul, par le même chemin, en se regardant les souliers pour ne pas voir les délicieux fantômes dans les fenêtres — ces ensorceleurs d'arbres de Noël — c'est dur. Pourtant il fit cela, l'enfant.

Après les adieux sur la plate-forme, quand le train eut démarré et quand il se vit seul dans son paletot de vieux, il sortit par la porte d'en arrière et bravement se mit à siffler pour faire reculer la houle noire, l'ennui qui voulait l'inonder.

On comprend qu'il aurait aimé avoir son billet en poche, sa valise bien bouclée près de lui, son banc dans le wagon, la grand-route ouverte vers ses prairies, l'évasion, et laisser venir dans sa tête les images de ceux qu'il aimait.

Mais non. Il fallait refouler ; Noël passerait comme il pourrait ; fallait lui tourner le dos, comme les collégiens tournent le dos à leur liberté, en septembre.

Alors l'enfant revint au collège. Un autre comme lui jouait au billard sur la table la plus éloignée là-bas, dans la salle, un grand garçon avec des lunettes et des pantalons jamais pressés. V'lan ! les billes filaient, se bousculaient, roulaient, et la salle s'amusait à faire de l'écho pour se moquer ; c'est que celui-là aussi avait dans la gorge une boule à faire descendre ; il ne partit pas lui non plus. C'était un autre qui venait des plaines.

Le premier, celui qui avait dix-sept ans, fit le tour de la salle, marcha vers sa case ; par terre, des papiers traînaient, des bouts de cordes de couleur ! Il ouvrit son armoire et se sentit chez lui dans son odeur. Il tira sa chaise, la déplia et s'affaira afin que les minutes finissent par tomber. Pêle-mêle, il sortit ses patins, son gouret, des livres, des claques, des courroies, des gilets, des mitaines. Puis le voilà qui fait le ménage.

Un homme l'observait près de la grande porte là-bas ; un homme en soutane, avec le grand crucifix qui lui allait bien ; un homme tout petit, tout humble, qui portait des talons de caoutchouc pour ne pas faire de bruit ; un homme ordinaire que personne ne remarquait, mais qui avait la compréhension, l'amour, la charité, l'effacement.

Il s'approcha sans s'énerver de celui qui avait dix-sept ans. Il n'avait pas une grosse voix à faire trembler les murs ; il n'avait pas une barrette sur la tête et les mains sur les hanches, et les pieds écartés, et le torse bombé pour se faire craindre ; non, il était tout petit, il parlait comme à la confession, tout bas ; il fallait toujours lui guetter les lèvres pour comprendre ; mais ce qu'il disait, c'était ça, c'était doux, ça venait tranquillement et ça portait ; ça replaçait tout : le cœur et l'esprit.

Le prêtre s'approcha sans un mot, sortit un paquet de cigarettes, en offrit une comme on en offre à un homme, alluma la cigarette de l'enfant comme on fait entre égaux et fuma, appuyé sur les cases, tout simplement.

— Les aimes-tu ?

— Oui.

— Cigarettes américaines.

— Ah !

— Froid dehors ?

— Non.

— Tu as reconduit les autres ?

— Oui.

— Je te dérange ?

— Non.

Puis, après un silence :

— Nous autres, qu'est-ce qu'on va faire ?

— Sais pas.

— Nous sommes trois à rester.

— Oui.

— Tu vas t'ennuyer ?

— Sais pas.

L'enfant se taisait ; l'autre ajouta :

— Ils ne sont pas capables. Nous allons leur montrer... Ils ne sont pas capables de nous faire de la peine. Personne.

Alors là, le petit homme en soutane s'éloigna, fit un tour, fuma et revint à sa même place. Il prit la chaise par le dossier, serra les mains dessus, très fort — on voyait les nerfs de ses doigts qui sortaient — regarda à terre et dit quelque chose de grave :

— À ton âge, je n'allais pas chez moi pour Noël : tu vois, nous nous ressemblons !

Et leurs yeux se rencontrèrent ; des yeux tranquilles qu'il avait, le prêtre, de bons yeux qui voulaient dire : « Tu sais, tes guenilles, ta pauvreté, ta solitude, je connais ça par cœur, je me souviens ; j'ai souffert et quand je te vois, je recommence. Partageons sans gêne, comme des frères malheureux ».

Et le prêtre s'en alla comme il était venu : tout bas, tel un bon conseil, un frôlement d'aile, une note de harpe, une brise... vous savez ce que je veux dire. Et l'enfant sentait confusément en dedans de lui, bien au fond, où est la souffrance, quelque chose qui s'agitait : c'était l'éclosion de l'homme.

L'Attente

Quand le ciel était beau, les gens du village se rendaient par groupes sur la grève et, immobiles sur les buttes, la main en visière sur les yeux, questionnaient les plis et replis de la mer.

Quand ils avaient bien regardé jusqu'au fond de ce grand déroulement, ils s'en retournaient dans leurs demeures, en silence.

Si le ciel était mauvais, quelques femmes venaient quand même, avec leurs châles et leurs longues mantes, guettaient les trouées de lumière à travers le brouillard, puis s'en allaient gravement.

De temps à autre, les vieillards demandaient si quelque chose était en vue, et les enfants qui avaient de bons yeux répondaient: «On ne voit rien encore.» Et les vieillards songeaient.

Cette grève du bord de la mer voyait tous les jours s'avancer et s'éloigner des personnes qui dardaient leurs yeux sur les vagues.

Un étranger, passant par là, s'était arrêté un jour pour questionner un ouvrier qui fumait, assis au bord:

— Qu'est-ce que c'est? Qu'avez-vous à regarder tous par là-bas?

Et l'ouvrier avait répondu sans se retourner :

— Nous attendons quelqu'un.

— Qui donc ?

Et celui qui fumait continua de fumer. Il n'ajouta pas un mot.

Alors, l'étranger s'était rendu au village pour tâcher d'apprendre ce qui en était. Sur son chemin, il vit des fleurs dans les parterres ; il rencontra des hommes qui nettoyaient les rues et qui faisaient des feux pour brûler les déchets. Par la fenêtre de l'école, il entendit des voix d'enfants qui chantaient. La porte de l'église était ouverte, et il vit qu'on posait des inscriptions blanches aux colonnes, comme pour une fête. Beaucoup de gens allaient et venaient vivement, l'air préoccupé.

L'étranger entra dans une maison où une femme préparait le repas du soir. Il dit à cette femme :

— Madame, permettez-moi de m'asseoir quoique je sois étranger. Dites-moi ce qui arrive ici dans votre village ? Qu'est-ce que c'est ? Qu'ont donc tous les gens à regarder la mer ?

La femme fit doucement signe à l'étranger de s'asseoir, passa dans la salle et revint, précédant un homme qui était son mari. Elle dit simplement :

— Monsieur voudrait savoir qui nous attendons. Explique-lui.

L'homme prit son temps, examina l'inconnu qui avait l'air blasé, mais qui avait du feu dans l'œil à cause de sa jeunesse ; il lui dit doucement :

— Nous attendons un enfant.

Le jeune s'impatienta tout de suite et répondit :

— Un ouvrier du bord de la mer m'a dit, lui aussi, que vous attendiez quelqu'un. Quel enfant ?

— Le nôtre, l'enfant de la paroisse.

— Vous attendez qui ? répéta l'étranger, un écolier qui a fait un tour de bateau ?

— Non, fit le plus vieux sans élever la voix, non. Un jeune homme qui est parti il y a quatre ans. Je dis enfant à cause de l'amour.

L'étranger se radoucit.

— Où est-il parti, cet enfant ?

— L'autre côté de la mer.

— Pourquoi ?

— Pour aider à tuer la pieuvre.

— La guerre ?

— Oui. Il est parti à la guerre.

— La jeunesse de tous les pays est en guerre, repartit le plus jeune avec un peu de dureté, c'est un métier comme un autre. Pourquoi l'attendre ? Vous en faites des cérémonies, vous autres !

Celui du village, avec sa voix douce, dit :

— On l'accompagne avec notre esprit.

Alors la discussion commença ; l'étranger dit :

— Permettez-moi de parler comme je parle, mais c'est beaucoup de naïveté. Chez nous, ce n'est pas ainsi.

— Chacun sa manière.

— J'ai vu des femmes du village cueillir des fleurs dans les parterres, c'est pour lui ?

— Oui, monsieur.

— On donne des fleurs à une femme.

— Notre enfant aimait les fleurs.

L'étranger s'excusa pour continuer son enquête, car il voulait tout savoir.

— Passant près de l'école, j'ai entendu chanter les élèves ?

— Oui, expliqua le vieux, c'est encore pour lui. Et les feux, et le grand ménage, c'est pour son retour. Après ?

Regardant par terre, avec un rire sur la bouche, le plus jeune déclara :

— Vous allez lui faire croire qu'il est un grand personnage, à cet enfant.

Le vieux répondit gravement :

— Quand on ne reste pas en dehors de son malheur, quand on sort un peu de sa sécurité, on se rend compte que l'enfant vaut la peine d'être attendu. Par chez vous, comment c'est ?

L'étranger rapporta ce qu'on pensait de la guerre par chez lui :

— On dit que c'est une déplorable question d'actualité, un malheureux accident.

— C'est tout ?

— Oui.

— Par ici, on dit que c'est un fléau de Dieu, une chose épouvantable, un châtiment, mais, en même temps, une grande méditation, un retour, dans le fond de nos âmes, à l'amour, un acte d'humilité en face de notre faiblesse, une occasion d'héroïsme et, à cause de toute la pourriture, à travers tous les sacrifices, une terre à germer des saints.

L'autre se sentit accusé un peu.

— C'est différent d'avec chez nous.

— Oui, c'est différent.

— Vous êtes sûrs que vous n'attachez pas trop d'importance à une question politique ?

— On est sûrs, appuya le vieux. Parce que ce n'est pas seulement une question politique, c'est un purgatoire.

— Par chez nous, ce n'est pas ainsi.

Le jeune songea : c'est plus un roulement d'affaires qu'un roulement d'hommes, plus d'écus que d'idées, plus une joute qu'une punition.

Le plus vieux voyait bien que son hôte souffrait ; il lui demanda doucement :

— Vous-même, êtes-vous de cet avis ?

— Moi ?

Et il se confessa.

— Franchement, j'étais dégoûté sans trop savoir pourquoi. Je suis sorti pour changer d'air, et me voici. Sans me l'expliquer, je crois que j'étais écœuré des raisonnements logiques, des explications scientifiques, des formules, de ce pullulement de petits prophètes qui font des signes sur la carte géographique, qui remuent la guerre avec un crayon et des mots, des mots qui ne descendent jamais plus bas que la boîte du crâne.

— Vous vouliez un changement ?

— Je le crois.

Le vieux, en bourrant sa pipe, dit comme s'il parlait à un cousin :

— Ici, on a changé aussi. On était un village médiocre, il y a pas tellement de mois, mais on a changé.

— Comment donc, médiocre ?

À son tour, le vieux confessa :

— Le village où il n'y a ni principes, ni coutumes, ni vie intérieure, le village qui essaie maladroitement d'être une réplique de la ville, qui veut ses petites boîtes à vice, son petit courrier de laideur imprimé, qui tolère des paresseux professionnels, qui commence à montrer son dédain des coutumes, qui fait un détour devant le travail, qui soupire à propos de rien comme un dévirilisé, qui s'ennuie le dimanche à cause de la vanité de ses buts, qui grince des dents un petit peu à la vue de la soutane ; un village comme ça, engourdi moralement, c'est mauvais signe.

On était de même. Je me confesse assez droit, oui ? On a changé.

— Vous dites à peu près ce que tout le monde pense, mais sans oser le sortir de derrière ses lèvres. C'est la première fois, depuis longtemps, que j'entends parler le cœur de quelqu'un. Dites-moi comment tout cela s'est passé au village, en partant du début.

Devant tant de sincérité, l'homme du village obéit.

— Il y a quatre ans, on a entendu crier au secours dans l'Est.

Lui, l'enfant de la paroisse qui a grandi dans les rochers de la côte, regardait les lueurs de loin. On le voyait hésiter, piétiner. Un matin, il a dit : « Leur guerre est pas plus pourrie que notre paix ». Il est parti, les poings serrés. Il s'ennuyait ; il voulait faire quelque chose. Il lui fallait une aventure pour le sortir de son confort de malade, de ses habitudes de bourgeois, parce qu'à la longue la vie facile irrite un homme racé. Il est parti.

C'était un enfant intelligent, mais endormi, timide ; il manquait de confiance en lui : partant, il manquait d'ambition ; il lui était égal d'être instruit ou ignorant, pauvre ou riche, petit ou grand, chef ou serviteur. Le siècle l'avait blasé un peu, mais, dans le fond, comme je te le dis...

L'étranger eut du plaisir à être tutoyé ; l'autre poursuivit :

— Comme je te le dis, il y avait son histoire qui dormait, notre histoire avec les taches de sang, les longs sacrifices. Il a traversé la mer, ç'a pas été long. Il a vu, il a vieilli. On le sentait, dans ses lettres, devenir un homme. Pour secouer les heures, il faisait son devoir, brutalement mais noblement. Il avait trouvé une tâche à la hauteur de sa force. Il lui fallait un animal à dompter. Ses chefs ont bien été obligés de le citer à l'ordre du jour ; mais ça nous a pas surpris, on savait son courage. La guerre le forgeait. Il a gagné un diplôme d'héroïsme, d'audace, de tenue. Il a promené sa personnalité du Nord au Sud. Il a gagné la confiance en lui. N'importe, lui, c'est correct. C'est de nous autres qu'il faut que je te parle. Nous autres, les salauds.

L'étranger aima cet homme de village qui s'humiliait franchement. Il écoute la suite ; la voix de l'homme arrivait sans hésitation.

— Pendant qu'il souffrait, parce que la guerre c'est la souffrance, nous autres de notre côté, regarde ce qu'on faisait ; nous autres, les petits protégés, loin du feu comme des enfants dans une pouponnière, regarde ce qu'on faisait au lieu de souffrir ses souffrances, d'espérer son retour, au lieu de prier.

On allait dans les hôtels le samedi soir, on disait : « Vous avez des chambres ? » Le lendemain matin, on se réveillait malades ; on ouvrait la fenêtre sur le beau dimanche pour que le vent nous fouette : on entendait sonner le Sanctus d'une grand-messe au loin ; puis on se versait un verre ; on disait : « À dimanche prochain ! » C'est ça qu'on faisait, nous autres. Ça, puis bien d'autres choses que je peux pas te dire, que tu devines. On pouvait pas continuer de même ; ça se pouvait pas. Instinctivement, on se sentait gênés, coupables, malades dans l'animal, surtout dans l'âme. On se regardait, blasés. La comédie avait assez duré. À la longue, le péché, faut payer pour. Il fallait baisser le voile dessus : on l'a baissé.

L'étranger écoutait toujours avidement, soulagé comme si c'était lui qui parlait.

Le vieux continua :

— Après ? on a fait ce qu'on fait toujours en retard, mais ce qu'on finit toujours par faire, à cause de la

127

conscience qui crie en dedans. On a commencé la prière, tranquillement, tout le village. Puis la lumière s'est faite. La lumière nous éclairait pour nous faire honte, pour nous montrer notre laideur, notre médiocrité, notre égoïsme.

Après la prière, on a chanté, avec du repentir dans le cœur. Puis là, l'éclaircie est venue, l'idée, la réponse. On a pensé à un mot : triage. On se l'est dit de bouche en bouche : triage. On s'est mis à trier. Tout le village ensemble, on a dit : trions, préparons le retour de l'enfant. Puis là, la joie est venue. On a dit : pleurons pas, on n'a pas le temps, mais dépêchons-nous d'être joyeux. Soyons joyeux. Prions pour avoir la force de réjouir l'enfant. Les femmes ont pensé aux fleurs ; les enfants aux chansons ; les habitants à leurs terres ; tout le monde a amélioré son métier. On a inventé une joie pour chacune de ses peines à lui, l'enfant, un réconfort pour chacun de ses battements.

Parce qu'il a vu rien que du sang les quatre dernières années, on a dit : vite, des fleurs ; des chansons, vite, pour lui chasser du crâne les hurlements de la guerre.

Et avec un grand geste qui couvrait les quatre coins du village, l'homme annonça fièrement :

— Ça dure depuis. On a fait la propreté parce qu'il a vu la saleté. Parce qu'il sort de la dureté, on veut lui préparer la douceur ; comme une surprise. On brûle autant de mauvais qu'on peut ; on engrange le bon, pour qu'il s'en saoule au retour. Il a mérité tout ça ; mais, écoute encore, c'est pas fini.

On a décidé de faire le ménage pas seulement dans les cours, les rues, les maisons, mais dans les âmes, les cœurs, les cerveaux. On trie nos idées, nos mots, nos pensées, ce qui est encore bien plus beau, pour que l'enfant entende des choses exaltantes. On trie nos idées. La vulgarité, la niaiserie, l'ignorance, l'étourderie, l'envie, on a résolu de sortir ça de nos foyers ; puis de faire un retour vers les vieilles lois qui ont jamais avili ceux qui les ont observées. C'est ça.

Aujourd'hui, regarde la différence. Tu vas aimer ça. Parce que des voyous ont passé par ici, ils ont dit : « On vous envie. » Regarde ce qu'on fait. On a décidé de changer, regarde. On dit des choses comme ça, le soir, à la fin du chapelet, des choses de chrétiens :

« Merci, Seigneur, de vos bienfaits innombrables, de la position qui me fait gagner ma vie, de l'amour de la Beauté, de la musique et des livres que le recueillement m'a fait découvrir ; de l'amour du sacrifice et de la vie avec ses misères ; merci de la campagne que vous m'avez donnée. »

« Protégez notre village et nos familles. Ramenez l'enfant précieux au plus tôt. Il ne sera pas dit qu'il fut le seul, lui, à connaître jusqu'au fond l'art de souffrir, c'est-à-dire sans se plaindre ! »

Le vieux du village se tut. Le jeune homme se sentait comme délivré, mais n'avait pas dit mot. Il était calme comme à la veille de bondir. Il dit simplement :

— Comme le voyou qui est passé et qui a dit: « Je vous envie », je fais la même chose, je vous envie.

L'autre conclut tranquillement :

— On prépare la beauté que l'on peut, parce qu'il a vu la laideur. Il se reposera de la haine en nous voyant nous aimer les uns les autres.

— J'aurais dû naître dans votre village, fit le jeune. Et avec amertume il ajouta: chez nous, c'est exactement comme votre premier tableau de tout à l'heure.

— Vous n'êtes pas loin de remonter à la surface, répliqua le vieux.

— Non, nous n'avons pas cette force. L'endroit d'où je viens est dur, pratique. Ce n'est pas propre. Le péché est en vedette. La prière est la seule qui n'est pas mobilisée. Non, chez nous, c'est impossible. Il est trop tard.

Il était abattu. Le vieux lança d'une foix forte, en le regardant dans les yeux :

— Alors, renie ta race, si tu crois que c'est un semblant de race, si tu n'as pas confiance en elle, si tu n'as pas l'espérance ; si tu n'as pas compris que c'est avec douleur que se font les chefs-d'œuvre ; si tu ne sais pas que le blé pour devenir du blé doit sortir de la pourriture ; va-t'en, exile-toi, pour rendre service à ceux qui battent des ailes dans la boue, en regardant les altitudes.

L'autre fut saisi, cloué.

— Ne viens pas me dire qu'à travers tout ce fourmillement d'erreurs, continait l'homme, il n'y a pas de petits bouts de vérité que des inconnus chérissent en silence. Je suis sûr que, par chez toi, il y a des énergies dormantes, des gens tristes que le siècle ne réussit pas à saouler, des civils malheureux qui se sentent inutiles, qui pensent à celui qui est parti, qui l'ont vu s'éloigner, puis qui l'espèrent fortement dans le fond de leur être ; des gens qui se tueraient pour le beau et le noble.

Devant la douleur du jeune homme, le vieux baissa le ton :

— Écoute-moi, jeune homme, que je te dis. Le bien est contagieux. Retourne chez toi et essaie avec tes amis l'expérience que nous avons réussie dans notre village. Prépare l'attente. Commencez par prier. Celui qui fait la paix et la guerre vous fera bien une petite lumière.

Et l'étranger, comme s'il sortait du sommeil, comme si une à une ses pensées revenaient fil par fil, dit :

— Maintenant, je vois plus clair, monsieur. Je ne regrette pas d'être venu par ici. Je n'aurais pas cru ce qui s'y passe, quand même on me l'aurait juré. Je me réveille donc ? Je me découvre des énergies à mon tour ? Le bien est là qui attend que les cœurs s'ouvrent pour plonger. Je vois maintenant quel nuisible civil j'étais, car je ne souffrais pas avec l'enfant, avec personne, pour personne. J'admets comme vous qu'on ne peut pas tuer la misère, mais qu'on peut la combattre.

Et l'enthousiasme lui revient, la naïveté même qu'il croyait morte dans son âme.

— J'irai par chez nous. Il y a des vieux, des jeunes, des femmes, des enfants, des vies nombreuses qui se gâchent, des grèves, et des ardeurs, et des promesses. Et nous prierons, et nous guetterons, dans la trouée de soleil, le bateau qui ramènera l'enfant avec son visage fatigué.

Il se leva, le poing serré, comme s'il s'adressait à ses amis réunis dans une salle :

— Qu'attendons-nous pour agir, quand des milliers d'enfants européens nous regardent et nous envient ? Tous ces milliers de beaux jeunes gens qui n'osent pas prononcer le mot avenir ?

Que faisons-nous ici, dans ce grand chantier, au grand soleil libre ?

Jeunesse, que je leur crierai, viens te fatiguer à faire des choses durables. Viens connaître la magie de s'aimer, la noble folie de créer. Je vous apporte la formule de rester jeunes. Il faut croire en l'idéal, en sa patrie, au travail et à l'avenir.

Défions-nous nous-mêmes : qui ira le plus loin en profondeur, dans la direction d'en haut ? Jeunesse, élançons-nous, voiles ouvertes, dans l'immense lumière où la boue de la terre sèche et s'effrite. Ne nous jalousons plus.

Il continua, les yeux infiniment sévères :

— La punition est assez visible. Soyons enfin écœurés de détruire. Jeunesse, tête en avant, il faut construire ! Ne croyez plus les déprimants philosophes, mais moi, le fou exaltant. J'ai trouvé !

Et il criait comme si vraiment il était à une tribune.

— J'arrive, jeunesse, j'arrive...

Il prit son chapeau dans son poing, ouvrit la porte et, sans la refermer, il sortit en courant dans la direction des trains qui vont vers les villes.

. . . .

Dans le grand silence qui suivit, le vieux se leva, referma la porte, regarda longtemps par la fenêtre à travers le rideau, tourna, appela doucement sa femme

— Yvonne, viens ici.

Elle vint.

— Le jeune homme est parti, dit-il.

Il fut surpris de sa voix qui résonnait comme si la maison s'était vidée d'un coup.

— Je sais, fit la femme calmement.

— Tu as entendu ce que nous avons dit, lui et moi

— Oui, j'ai tout entendu.

— Depuis le commencement ?

— Oui.

L'homme se sentit coupable ; il demanda :

— Est-ce péché ce que j'ai fait ?

Sa femme, hésitante, répondit :

— Tu as commis un mensonge énorme.

— Est-ce péché ? questionna-t-il à la façon d'un enfant.

— C'est grave, dit-elle. Notre village n'attend pas

comme tu dis. Il est aussi médiocre que les autres. L'étranger ne savait pas qu'au mois de juin, ici, les femmes font le grand ménage des parterres, que les enfants répètent leurs chansons pour la distribution des prix, que l'église prépare sa Fête-Dieu et son reposoir avec le parcours de fleurs, et que les hommes partent pour la pêche en mer. Tu as profité de son ignorance.

L'homme baissa la tête comme un accusé sans défense.

— Est-ce que j'ai fait un péché ? demanda-t-il encore.

Sa femme alla chercher cet argument dans le fond de sa tête :

— On commet tellement de mensonges quand c'est pour le mal.

— C'est vrai.

— Peut-être que lui, l'étranger, réalisera avec son propre village le mensonge que tu lui as montré ?

— Peut-être.

— Je commence à croire ce que tu as dit, le bien est contagieux.

L'homme se leva, marcha dans la chambre.

— Alors, je n'ai pas fait un péché ?

Avec beaucoup de tendresse, la femme rassura son mari :

— Tant que tu auras le péché d'aimer trop tes frères n'aie pas de remords.

— Merci.

Il marmotta : « C'est une idée quand même, trier, préparer le retour de l'enfant ; inventer une joie pour chacune de ses peines ; un réconfort pour chacun de ses abattements ; des fleurs à cause du sang ; des chansons pour chasser les hurlements ; de la beauté à cause de la laideur ; de l'amour a cause de la naine. Un retour aux vieilles lois. Il faudra que je lance cette idée, dans nos rochers. »

— Les hommes s'aimeraient, je crois, dit-elle.

— La vie est si courte, on devrait s'aimer.

Et par cœur, il se souvint de cette poésie qu'il avait lue un jour. Il la récita pour sa femme et pour lui, et pour tous ceux qu'il croyait de bonne volonté :

C'est que bien au-dessus des roches et des nids,
et des oiseaux qui jouent des thèmes à
    symphonies ;
bien au-dessus des gens qui fêtent, qui oublient ;
au-dessus des grands arbres, des nuages aussi,
il y a le bon Dieu au fond de l'infini,
penché sur sa terrasse, qui avant chaque nuit,
vient compter un par un ceux qui pensent à Lui.
Parfois c'est un oiseau, parfois une fourmi.
Quelquefois c'est la mer qui s'apaise et qui dit :
« Seigneur, tu es le Maître, je roule, j'obéis. »
Parfois c'est un malade qui baise un crucifix ;
ou encore un enfant qui tremble et qui supplie.
Trop peu souvent, hélas, c'est un homme qui prie !
Pourtant, s'il en est un qui devrait, c'est bien lui.
Mais les hommes sont fous. Ils amassent, charrient
argent, puissance, honneurs, titres et niaiseries,
comme des immortels, comme si leur patrie
ne devait pas finir. Ils s'enivrent et s'ennuient.
Mais la loi est sévère : tout finit, tout pourrit.
S'agiter n'est pas bon ici-bas. C'est ainsi.
L'Homme de la terrasse est venu et l'a dit.

— Pour te faire pardonner, dit la femme, fais-le ton village.

Il cria :

— Yvonne !

— Oui, mon homme ?

Il cria encore plus fort :

— Je crois sérieusement que je vais le faire.

Et comme l'étranger, dix minutes plus tôt, il sortit à la course, tête nue, sans refermer la porte. Les mains en l'air, comme s'il tenait une bonne nouvelle, il se dirigea vers la grève, où les gens tristes, le chapeau en visière sur les yeux, attendaient ceux qui étaient partis en mer.

Voyage de noces

Le jeune paysan s'était marié dans son église de campagne, un matin de novembre froid et plein de lumière. Il avait neigé la nuit. L'air était pur, les routes, blanches.

Et après la messe, en même temps que les cloches joyeuses, les embrassades des parents sur le perron de l'église, le grand soleil sur la neige, on avait pris une photo ; les mariés timides et heureux se tenaient au centre et se laissaient regarder.

Pour le voyage de noces, c'était convenu, un parent de la ville leur offrait comme cadeau, pendant une semaine, son appartement chauffé, meublé, simple et discret. Le voyage fut radieux, excitant comme une fuite.

On visita la cité, les églises, les grands magasins, les avenues, deux arrière-cousins qu'on n'avait jamais vus. On dîna dans les chics restaurants. On passa les premiers jours à rouler d'un bel endroit à un autre plus beau. Tout marchait à merveille, c'était le paradis. Trois jours parfaits. Il en restait encore quatre à passer. Magnifique. Puis ce serait le retour.

Le quatrième matin, le parent tout joyeux sonne chez les mariés. On l'attendait pour le repas. Il devait être onze heures. La porte s'ouvre. La jeune épouse, toute fraîche, une tasse de café à la main, lui souhaite le bonjour. L'homme entre, pimpant, regarde autour, se réjouit intérieurement de toutes ces choses qui lui appartiennent, passe dans le salon. Que voit-il au fond de la pièce, entre les deux fenêtres ? Une chose saisissante, peut-être amusante mais indéfinissable. Il s'approche sans comprendre : le marié est en chemise, sur le dos dans la place, avec ses grandes jambes pliées, tenant en équilibre, au bout de ses bras, un gros fauteuil de peluche. Quoi faire ? Rire ? Le parent ne comprend pas tout de suite. Est-ce de l'enfantillage ? Il essaie de saisir, ne fait mine de rien. Il essaie de s'expliquer. L'autre l'aperçoit, descend lentement le fauteuil, sans s'énerver le replace d'un coup de poing où il l'avait pris. Penaud, il se passe la main dans la chevelure, saute sur ses pieds, rajusta sa ceinture, et dit en cherchant ses mots dans les dessins du tapis :

« Je jouais », puis change de propos. Les deux hommes font semblant d'être à l'aise, mais il faut une explication. C'est le parent qui demande, en allumant une cigarette :

— Tu t'ennuies ?

— Je m'ennuie un petit peu.

Le parent prend le temps de fumer, puis dit :

— Tu veux t'en aller ?

L'autre gêné, répond oui, et ajoute pêle-mêle avec de grands gestes :

— C'est pas qu'on est mal. Non. Mais on est perdu. Vous comprenez ?

Et il regarde les murs avec les tableaux dessus, les abat-jour, les bibelots et les magazines. Le parent constate tout cela. La terre poursuivait donc son monde ainsi partout, même en voyage de noces ? Pour s'assurer, il questionne :

— Tu t'ennuies de la terre ?

L'autre dit oui plusieurs fois ; puis avec douceur, il ajoute :

— De retomber dans mes guenilles, de soulever quelque chose de pesant. Je m'ennuie de mes animaux, de mes prairies, du grand vent. C'est bête ?

Puis il éclate de rire, un grand rire qui sonne sur les murs blancs et réunit les deux hommes. L'explication est donnée. Le parent ne se froisse pas. Sûr, qu'il comprend ; mais il reste songeur, parce qu'il s'ennuie de rien, lui.

On dîne tout de même ; après le repas, le parent dit : « Habillez-vous ». Pendant qu'on s'habillait, le marié répétait naïvement, comme s'il eût eu peur d'avoir fait de la peine : « Comprenez ? » Et l'homme de la ville disait : « Je comprends ».

Le voyage de noces était fini. Au retour, seul dans la voiture, le citadin se parlait à lui-même : « Des oiseaux, on n'encage pas ça... des oiseaux, on n'encage pas ça... » Et il reconnut que ceux qui vivent avec le sol ont une vocation.

La Trace

Il a neigé toute la nuit. Un tapis neuf, mou comme de la ouate. Rien d'écrit encore. Aucune trace. Le sol attend des signatures comme une page blanche.

Dans sa maison, un homme sort, un cultivateur. Il aspire en mettant ses mitaines et souffle la vapeur à pleine bouche. Ses yeux s'habituent vite au matin.

Il descend les deux marches craquantes et, la main en couteau, se taille une tranche de neige qu'il mange ; doucement il risque son pied qu'il enfonce ; il ne voit plus ses bottes. Il fait deux autres pas, se retourne et continue. Il fait pur dehors, comme si on avait fait le grand ménage partout. Le plafond est clair. L'horizon est propre. La nature a vêtu toutes les choses. Même la corde à linge a son ruban de fourrure ; et les choses engourdies dorment sous la couverture blanche. C'est un beau matin.

Après le déjeuner, l'homme soulève un enfant dans ses bras pour lui montrer la neige par la fenêtre. Et l'enfant, le doigt en l'air, demande :

— Est-ce vos traces ?

L'homme regarde sa femme, le berceau par la porte de chambre, les murs où il est, sa terre par un coin de fenêtre, puis à l'enfant qu'il tient sur son coude, il répond :

— Oui, mes traces.

Alban Laforêt, c'est le nom du paysan. Son garçon, le plus vieux, s'appelle Rosaire. Les autres enfants sont jeunes ; ils ne savent pas encore la vie.

Rosaire travaille à la manufacture, à la ville. Chaque matin, il part avec son dîner et il revient tard le soir.

La manne passe, le fils en profite.

Le soir de cette bordée de neige, Alban le père, en s'approchant de la table, avait dit comme ça, presque tout bas, sans regarder personne :

— Il y a un lâche dans la maison.

Et les jeunes s'étaient interrogés des yeux sans comprendre, un peu comme les apôtres à la dernière cène, lorsque le Maître avait dit : « Un de vous me trahira. »

La mère était passée de l'autre côté, et le souper avait traîné comme une tristesse.

Le lendemain, c'était dimanche.

Après la messe, Alban le père monta la ruelle pour atteler son cheval. À la porte de l'étable, Rosaire le fils attendait, une cigarette aux doigts. Ils se parlèrent comme font deux hommes :

— Étais-tu dans l'église ?

— Moi ? Oui, deux bancs derrière vous.

— Je t'ai pas vu.

— J'étais là. Même messe que vous.

— Je t'ai pas vu.

— J'ai acheté un journal puis des chocolats pour Gros-Louis. J'ai mis ça sous le siège de la voiture.

— C'est bien.

— Attendez-moi pas, je dînerai en ville.

— Tu viens pas à la maison ?

— Non, je vais dîner en ville.

— Quelle place ?

— Des amis.

— Ta mère le sait ?

— Je l'ai pas vue, vous lui direz.

— Elle est sur le perron de l'église. Tu peux lui dire ?

— Je suis pressé. Ils m'attendent. Je serai là pour le souper. Salut !

— Attends une minute.

— Oui ? Qu'est-ce qu'il y a ?

— Il y a rien... On t'attendra pour le souper.

Au souper le fils ne parut pas. Les enfants étaient sages autour de la table. Le père mangeait sans rien dire.

À la fin du repas, en se levant, il répéta pour la deuxième fois, sans regarder personne :

— Il y a un lâche dans la maison.

Puis il passa dans la salle, s'assit dans la berceuse de paille, bourra sa pipe, fixant le noir par la fenêtre.

Sans qu'il s'en aperçût, sa petite fille grimpa sur lui, s'assit très sage et, tout en jouant avec ses longs cheveux, raconta à son père l'après-midi qu'elle avait passé.

— J'ai fait des traces dehors dans la neige. Les avez-vous vues ? Des traces dehors autour de la maison. Je suis allée jusqu'au fleuve en raquettes avec Gros-Louis. Je voulais descendre au bord, Gros-Louis a eu peur ; il s'est assis sur ses raquettes. Il a pleuré. C'est pour ça qu'on est revenus. Il avait peur de l'eau. Il y avait des gros morceaux de glace qui passaient puis s'en allaient. Qui s'en allaient où, papa ?

— Qui s'en allaient loin, jusque dans la mer... La mer, c'est la place où le fleuve se jette. C'est large, on voit pas de l'autre bord.

À la question « C'est creux la mer ? » le père répondit :

— Il n'y a pas de fond. C'est grand, c'est compliqué. Faut avoir des bons bateaux pour aller là, des bateaux faits en fer, avec des bonnes boussoles, des provisions à bord, puis des chaloupes, parce que sans ça c'est dangereux.

— Pour se noyer ?

— Ah ! oui, pour se noyer, ajouta le père ; il y en a plusieurs dans le fond.

— Vous en connaissez ?

— Peut-être bien...

— Ah ! Pourquoi ils se sont noyés ?

— Parce qu'ils étaient pas prêts ; ils sont allés trop vite. Ils pensaient traverser dans les petits bateaux de rien, sans gouvernail. Non, il faut connaître ça. Faut une étoile pour aller sur la mer. Ceux qui en ont pas coulent.

— Pourquoi ils y vont pareil, si c'est dangereux ?

— Parce que ça vire la mer, c'est agité.

Le père songeait à Rosaire son fils, et dit :

— Le mot « loin », on dirait qu'il est aimanté. Bien des hommes meurent pour lui. Ils veulent connaître ce qu'ils connaissent pas ; voir ce qu'ils ont pas vu. Ils partent. Comme les morceaux de glace que t'as vu passer, souvent ils reviennent plus jamais.

L'enfant se tut, mais ne comprenait pas bien.

Le père continuait tout seul pour lui-même ; il résumait sa vie de paysan :

— Faut avoir peur des morceaux de glace qui vont à la mer. Je me suis toujours tenu loin des courants où ça vire en faisant des remous qui regardent comme des yeux. J'ai toujours eu peur des places où il y a des chemins tout faits, faciles, comme une dérive de fleuve.

Les processions, j'aime pas ça. Faire un pas, puis tout de suite le voir effacé par un autre qui me suit? J'aime pas ça. J'ai toujours aimé mieux les places dures, solides, où c'est difficile de faire une trace quand je pose le pied. Je suis comme Gros-Louis, J'aime pas ça où il y a du courant.

L'enfant, là-dessus, ajouta:

— Moi aussi, d'abord.

Elle posa cette question

— Qu'est-ce que ça veut dire «lâche»?

Le père, sans changer de visage, répondit:

— Ça veut dire: qui a pas de courage.

— Il y en a un dans la maison.

— Oui, il y en a un.

Ce fut la dernière question de l'enfant.

*   *   *

Le fils, durant ce temps, buvait dans un restaurant de la ville, en compagnie d'un étranger improvisé.

Une racoleuse, de loin, lui faisait les doux yeux, en se laissant embrasser dans le cou par un autre. Rosaire était ivre. Il voulait se marier; il voulait une automobile, une maison à la ville, et faisait des projets d'ivrogne en brandissant une liasse d'argent de papier. Il maudissait la terre, le travail, et sa gêne. L'impure musique l'excitait. Il prit soudainement un verre de bière, le fixa longtemps et dit avec un rire de bête:

— Il neige à travers là-dedans. À ta santé, l'ami! Je bois la tempête et mon passé avec.

Il y avait des traces d'alcool sur la nappe, de la cendre de cigarette et des bouteilles au goulot luisant. Après la chaleur, vint le sommeil. Rosaire s'endormit sur ses poings, une mèche de cheveux trempant sur la table, dans un reste.

L'ami attendit quelque temps, regarda, agit enfin, plia adroitement quelque chose et, très simplement, gardant une main dans sa poche, sortit.

Lundi, mardi, mercredi passèrent.

*　*　*

Au soir du troisième jour, Alban le père fumait dans la cuisine. Toute la maisonnée dormait.

— La porte s'ouvrit soudain, et le fils parut.

— Bonsoir.

— Bonsoir.

— Je pensais trouver la porte barrée. C'est mieux de même, ça dérange personne.

— La porte est débarrée depuis dimanche.

— Ah...

— Je savais que tu reviendrais de nuit. C'est moins gênant dans la noirceur... Tu peux monter te coucher. J'ai rien à dire. Toi, t'en as ?

— Oui.

— Parle.

— Suis pas capable.

— Reviens-tu pour rester ou si tu es venu chercher tes paquets ?

— Pour rester.

— C'est tout.

— Non.

— Dis-le.

— Suis pas capable.

— T'as tout perdu, je suppose ?

— Oui.

— T'as plus d'argent?

— Non.

— T'as fait un beau voyage...

— Il y a d'autres choses encore.

— Quoi?

— Suis pas capable.

— T'as perdu ta place?

— Oui.

— Un beau voyage... Tu es dans le chemin?

— Oui.

— T'as bien arrangé ça. T'as marché en partant de la ville?

— Oui.

— À pied, tout le long?

— Oui.

— Mange si tu veux.

— J'ai pas faim.

— Gêne-toi pas.

— La mère est *correcte*?

— Elle est *correcte*. Elle t'attend depuis le souper, dimanche soir. Bonsoir.

— ... Ici, il y a du nouveau?

— Oui, il y en a.

— Quoi?

— Il y a quelqu'un de malade dans la maison.

— Gros-Louis?

— Non, moi.

— Vous devriez vous coucher.

— Faut pas que je me couche.

— Pourquoi?

— Parce que je crie.

— Des cris?

— Oui, la nuit quand je dors. Ça fait que pour pas

147

crier, je dors pas. L'autre soir, j'ai fait peur à ta mère ; je me suis fait peur à moi aussi. C'est une drôle de maladie, hein ? Je crie...

— De quoi ça dépend, de moi ?

— Pas seulement de toi. Moi avec. J'ai une bosse sur le cœur. Quand je dors, ça me fait mal.

— De quoi ça dépend ?

— J'ai ramassé ça dehors.

— Allez voir le docteur demain.

— C'est pas un mal qu'il trouverait. C'est en dedans. Dans l'âme. Ils ont pas d'outils pour entrer jusque-là. J'ai ramassé ça dehors. Partout, en regardant.

— Regardant quoi ?

— Les terres. Sais-tu comment il y a de terres abandonnées d'ici à Saint-Jules ? Sept... sept terres. Des maisons abandonnées, avec des planches sur les yeux.

Les bancs de neige se ramassent jusque sur les perrons. Des terres abandonnées, avec des dalles décrochées, des puits sans couvert, des galeries débraillées, des clôtures sur le dos. Aucune trace nulle part. Aucune. Le monde qu'il y avait là a déserté parce qu'il trouvait les mottes trop dures. Des terres, ça peut pas dire leurs souffrances. Moi, je les dis. Je les souffre aussi. Ça fait mal. J'ai toujours peur un matin que les vieux reviennent, les vieux qui ont défriché ça, il y a cent ans passés.

Ceux qui sont arrivés dans le sauvage, avec leurs haches, leur audace, leur foi. J'ai toujours peur, un matin, de les voir passer en caravanes dans le chemin, un derrière l'autre, avec un sourire, leur hache au poing, flambante au soleil, les pieds sur leurs raquettes de nerf, leur ceinture fléchée au vent. En passant ici ils crieraient : « Salut, voisin, on va voir ce que vous avez continué ».

Me semble que je sécherais de honte si ça arrivait. J'ai toujours peur à ça.

Je sais que ça arrivera pas, ça se peut pas. Mais je rêve à ça pareil. Puis je crie : « Allez-y pas, allez pas voir, on est des lâches ». Tu sais ça qu'il y a un lâche dans la maison ici ?

— Moi, j'en suis un.

— Non, pas toi. Tu es fou. C'est tout. Tu es trop jeune pour être lâche. Il y en a un pire que toi : moi. Je suis un lâche. Pourquoi ? Parce que je fais pas mon possible. J'aime pas assez la terre. Il y a trop de choses que je vois dans mes voisins, des affaires croches, des affaires bêtes, des affaires tristes, des habitudes mauvaises. Puis, je leur dis pas. J'ose pas. J'ai peur. Je suis un lâche. Des choses *plates* qu'ils disent, sans allure, fausses, mal bâties, ignorantes. Des choses de jalousie, des choses nulles, pas charitables. Si tu mourais ce soir, pourrais-tu me dire franchement : « En arrière de moi, c'est droit, en ligne comme un sillon ; droit comme les planches que les vieux tiraient ; droit dans ma religion ; droit dans mon respect ; droit dans mon amour pour le pays » ? Non, tu pourrais pas le dire, parce que moi, ton père, je peux pas. On est tous des lâches. On vit sur la terre parce qu'on s'adonne là, mais on sait pas pourquoi. On va à la messe sur l'air d'aller de nos grands-pères ; on sait pas pourquoi. On parle le français sans savoir que c'est la plus belle, la première, la plus riche, la plus grande parlure au monde. Comme on marche sur les pieds sans jamais s'être demandé si c'était le bon bout. On se demande rien, on pense, on apprécie pas.

On se lève sur le bout des pieds par exemple pour voir ce qui brille ; on se laisse éblouir comme un enfant devant un bonbon de couleur.

On lâche la charrue, la bêche, la hache, le marteau, la terre, la santé, l'héritage, la loi. Péché par-dessus péché. On s'enligne à la suite des autres, à la porte d'un guichet en ville. Le soir, on fait ce que t'as fait pendant trois jours. T'as bu ?

— Oui.

T'as bu à l'heure de la prière ? Quand je dis prière, je dis pas marmottage, tremblement des lèvres ; quand je dis prière, je dis silence. J'ai une drôle de maladie, hein ? J'ai mal au pays. J'ai mal à notre ignorance.

Sept... sept terres abandonnées sur une distance de vingt milles. Sept fois cracher dans la face de nos aïeux. Sept fois le soleil qui se lève là, pour rien, tous les jours. Sept fois les vieux labours qui se sentent tisser sur le dos des toiles de chiendent. Sept souillures dans le canton. Sept lâchetés.

Je veux pas te retenir de force. Jamais ! Va-t'en si t'aimes pas la terre. Va vivre ailleurs.

T'embrasseras pas les billots à pleins bras, si tu les aimes pas. Tu plongeras pas à pleines mains dans les tiges de blé, si ta main les aime pas. Tu fatigueras pas les chevaux sur les labours, si tu laboures pas avec eux autres. T'exposeras pas ton corps aux pluies, si t'aimes pas l'eau des nuages. Tu saliras pas les couleurs du ciel avec tes yeux, si tes yeux pensent à la ville. Vole pas le vent libre, s'il te fait mal dans la poitrine. Va-t'en si tu aimes pas la terre. Va-t'en, si tu as peur de présenter ta mère aux amis sur le perron de l'église. Va-t'en, si tu as honte des ampoules dans tes mains. Va-t'en, si tu crois pas à la moisson, si tu dors au soleil levant, si tu t'ennuies. Tu es dans une sorte de sanctuaire ici, où il se fait des miracles. C'est pas la place pour s'allonger, rêvasser aux mirages. Faut croire à la terre, au pays.

Les anciens ont béni les bords du fleuve, béni avec leurs sueurs, leur sang. Ils savaient jouer de la charrue ; ils savaient jouer du chapelet aussi. Ils mordaient dans l'ouvrage avec autant d'appétit que dans le pain blanc.

C'étaient des hommes que rien ne faisait rougir : ni les croix de chemins, ni les grosses familles, ni les prières du soir. Eux autres se *colletaillaient* avec de la misère. Ils perdaient rarement. On leur va pas à la semelle.

Reste pas ici si tu te tiens que sur un pied, le museau vers la ville. Arc-boute-toi si tu veux rester. Aie pas peur de te salir. La vase des champs a jamais sali l'âme. Plante-toi, parce que les traces qu'il y a de faites sont droites, creuses, solides, longues.

Les vieux ont pas fait ça pour des lapins, mais pour des hommes pesants. Décidons-nous. On est-y, oui ou non, les fils de ces géants-là ?

En regardant ici et là, j'ai ramassé ma maladie. Ça me fait comme une bosse sur le cœur. J'ai mal au pays. C'est curieux, hein ?

Puis, mon garçon, au lieu de m'aider, au lieu de regarder la lumière, au lieu de s'emplir les poumons de liberté, déserte, s'enferme dans les tavernes, trahit la souche, parade la paysannerie dans les places impures. Puis, quand il se sent perdu, cassé, se faufile à la noirceur, vient cacher sa lâcheté sur le vieux bien, cent fois béni.

Au bout des découragements, il y a l'église. Toi, l'espoir, le remplaçant, où c'est que tu as passé tes trois jours ?

— C'est un mauvais rêve. Je vais monter me coucher. J'ai acheté un sac de bonbons pour Gros-Louis...

— Tu as pensé à ton filleul ? C'est beau. Je lui donnerai demain matin.

— J'ai pensé à tous vous autres. Bonsoir.

Et une fois seul, bien après que le fils fut couché, le vieux dit :

— Il n'y a plus de lâche dans la maison.

Norbert

Quelque part en Abitibi, bien loin, ce soir dans le nord, plus loin que la tempête de neige, plus loin que la dernière paroisse du dernier diocèse, dans l'éclaircie d'une forêt perdue, où il n'y a ni téléphone, ni voisins, ni radio, ni restaurant, brûle une lampe à l'huile, dans une cabane de bois rond.

Une lampe ordinaire avec sa mèche et son ventre de verre soufflé. Une lampe comme un phare de bateau qui guide la manœuvre du capitaine. Une lampe qui doit se voir du chemin par des carreaux de la cabane.

Là demeure un capitaine sans navire, ni marins, ni océan, ni cordages, ni passagers, ni galons.

Un jeune capitaine qui s'appelle dans la page agricole : un colon. Capitaine de la terre. Un défricheur, qui a le courage de tous les marins de la mer. Son navire est de bois comme ceux de l'Atlantique, mais soudé à la glèbe qui est son océan.

Ses voiles : la tête des grands arbres.

Ses passagers : la misère, le froid, la solitude.

Et ses moussaillons, deux anciens amis qui l'ont suivi partout depuis sa sortie du collège : un cheval à poil long et un barbet de son village. Sa hache est un moteur.

Et ses grades : des trous plein les manches de son gilet de laine.

Ses cadrans marquent : travail, ennui. Il atteindra son port quand sa terre le nourrira.

Il sait les longues saisons qu'il lui faudra traverser. Il sait la monotonie de la neige, la piqûre de la rafale, la fadeur de sa cuisine, la distance du clocher. Mais il sait également la senteur de bois dans ses habits, la chute de l'arbre, le lever de la lumière, l'arrivée de la première corneille, la douceur du premier soleil, de la première gorgée d'eau d'érable, de la première sortie nu-mains.

Il sait le miracle des feuilles vertes, la boucane du premier labour, et rêve au matin du premier épi.

Qui est-ce ? Un roi ? Presque. C'est un colon.

Sa lampe, tranquille et pieuse comme un lampion d'église, brûle sur sa table de bois brut, éclaire les pages qu'il vient d'écrire, veille dans la nuit, cet enfant de vingt-six ans, capitaine sans diplôme ni équipage, aux mains gonflées d'ampoules, aux yeux de couleur de source, à l'âme d'enfant de chorale, à l'audace de missionnaire, à l'endurance de fauve, à la patience de dompteur.

Norbert est son nom. D'où vient-il ? Son journal ne le dit pas. A-t-il des frères, des sœurs, des parents ? Fuit-il la justice ? Ou a-t-il choisi volontairement de vivre la vie de premier défricheur de la Nouvelle-France, par amour ?

Oui. Par amour.

L'Idiot ! Les villes sont nombreuses, invitantes, abordables ? Les positions aussi ? Que faut-il ? Un salaire de vingt piastres par semaine ? C'est suffisant, facile. Chambre chauffée, nourri à part ça ; dix piastres par semaine en ville, c'est pas cher, c'est bien ? Théâtre, cigarettes, les filles, la musique ? De temps à autre, une belle cravate, un chapeau neuf, un petit voyage, un verre de bière ? La paix à part ça. On barre sa porte. On lit, on est chez soi. Si ça fait pas là, on déménage ? Personne ne nous connaît, on ne connaît personne. On peut mentir, tromper, parader, changer de nom si l'on veut, c'est amusant. Il faut être fou ou poursuivi pour s'enterrer dans les cimetières d'ennui comme il fait ?

Non. Il y est par amour.

J'ai lu son journal. Lisez-le aussi. Pendant qu'il dort, les cheveux défaits sur sa table, le front sur ses deux poignets, approchez-vous de la lampe qui veille, lisez vite avant que le feu tombe dans le poêle.

Je m'appelle Norbert. J'ai des frères et sœurs. J'ai fait des études agricoles. J'étais habitant avant l'école primaire. À l'âge de sept ans, je trayais les vaches. J'aime le sol et me voilà.

Vingt-six ans. Seul avec la forêt, la neige, l'attente, sur mon lot de rescapé comme sur un radeau de naufragé. En dehors des autres, loin de chez nous, du fleuve, de ma blonde, de ma mère, comme un coupable sur une île. Non. Je ne fuis pas la loi. Je ne suis coupable en rien, de rien, pour rien.

J'aime la terre.

Celles qui s'achètent avec des labours prêts, des clos en ligne, des bâtiments tôlés, des chevaux de race, des vaches grasses, sont trop chères pour moi.

Même les petites terres sans clôtures, ni animaux, ni granges, ni fossés, sont trop chères. Mon argent n'est pas en écus.

J'ai vingt-six ans, deux paires de salopettes, trois gilets que ma mère m'a tricotés, l'habit de noces de mon frère aîné, des vêtements seconde main, un poêle de bric-à-brac, des boîtes vides comme sièges.

J'ai décidé de choisir une terre à la hauteur de ma pauvreté. C'est-à-dire : sans rien dessus. Vide comme mes poches ; avec des trous seulement, de la misère et de la crasse de chiendent. Une commerçante qui n'a jamais été touchée comme moi, avec ses défauts, ses possibilités, ses caprices et ses entêtements. Je l'ai choisie loin, dure, farouche, lutteuse, parce que je me sentais des forces à marcher jusqu'où se cache le beau gibier.

Un prêtre m'a donné l'adresse ici, dix dollars et l'itinéraire. Le gouvernement : un billet pour me rendre, et me voilà.

J'aime la terre.

Tout ce que j'ai de neuf, c'est une paire de bottines que je me suis achetée au village au prix du gros. Mon cheval est un cadeau de mon père, et le chien, personne ne me l'a donné. C'était à la famille. Il m'a suivi, le matin, lorsque j'ai pris le train, à trois milles de chez nous.

Mon argent, c'est mes vingt-six ans et ma hache. Je bûche depuis l'âge de douze ans.

Neuf juillet.

Aujourd'hui, neuf juillet. J'ai équarri les billots destinés à ma cabane. Quinze par huit. Juste ce qu'il faut. Mes plans sont faits dans ma tête. Une porte à l'est, et c'est tout. Pas de fenêtres du côté nord. Une du çoté est, deux du côté ouest. Le soleil se lèvera à ma droite, se couchera à ma gauche quand j'aurai la face au mur sans châssis ; mais je regarderai plus souvent le sud, parce que c'est envers chez nous. Mon solage est creusé. Je commence le premier pan demain.

Dix-huit août.

Ma maison est terminée. Je viens d'installer la dernière feuille de tuyau de mon poêle. Demain je ferai le *ménage, et demain soir, je commencerai à écrire ce que je veux écrire.*

Dix-neuf août.

Pourquoi je suis parti de chez nous.

L'air est bon. Il a plu. J'ai étrenné ma maison. Elle est claire, elle sent le neuf, je suis heureux.

De grosses boules noires dans le ciel se roulent les unes sur les autres. Elle viennent du sud. Je m'en fous. Qu'il pleuve. Je me suis défendu du soleil en me laissant cuire la peau ; des moustiques en me laissant piquer jusqu'à ce qu'ils meurent ; des orages maintenant, je me défendrai en entrant ici chez moi.

S'il venait quelqu'un, il frapperait à la porte en ce moment. Et moi, le propriétaire, je répondrais si je veux. Ah !

Heureux ceux qui savent manier la hache et la scie !

Pourquoi je suis parti de chez nous ? Pour deux raisons.

La jalousie et l'amour. La jalousie :

J'étais jaloux des premiers qui avaient bâti le pays. Ça peut paraître drôle ? Mon grand-père a été un pionnier dans Lotbinière, mon père a jeunessé dans les forêts de la Mauricie, deux de mes oncles ont été des pionniers au Lac-Saint-Jean. J'avais ça dans moi, dans le sang. J'étais jaloux d'eux autres.

Jaloux de ceux qui avaient marché dans le pays neuf, qui avaient défriché, bâti, couru le bois, respiré l'air vierge, salué les lacs sans noms. Jaloux des conquérants de la terre ; de ces hommes, plus entêtés, plus forts que les souches et les mottes, qui disaient à une friche : « Donne-moi du pain ».

Jaloux de ces grands silencieux, de ces prophètes qui se tenaient sur les roches, pointaient des pans de bois, puis qui disaient : « Ici, on va faire un village ».

Jaloux de ces héros sans galons, qui poussaient l'inconnu avec leurs épaules comme on pousse un mur.

Jaloux de ces humbles qui savaient pas signer leurs noms, mais qui savaient écrire des chefs-d'œuvre avec de la pierre des champs ; de ces géants naïfs qui se donnaient du courage en chantant : « C'est l'aviron qui nous mène ».

Jaloux de ces fils du bois qui disaient à la misère : « Viens te battre », qui disaient aux oiseaux : « Va voir ma blonde pour moi ».

J'étais jaloux.

À part ça, j'étais neuf. Personne n'avait eu mon cœur, ni vu mon âme, ni connu le dedans de ma tête. Sauter sur l'épaule d'un autre, ç'aurait été de l'effronterie ; quémander un passage pour rien : j'étais pas capable de me faire flatteur ; me faire traîner : c'était hypocrite ; m'enlever la vie : j'y avais jamais pensé, j'étais pas un lâche.

Je suis parti seul et neuf, avec mes vingt-six ans ; jaloux des ancêtres.

Ma deuxième raison : l'amour.

Un amour bête, fou, irraisonné. Une fille riche, millionnaire qui s'amourache de moi en ville, pendant que je travaillais le bois, dans une boutique pas très loin de chez elle. Moi aussi je l'ai aimée. Elle était riche, j'étais pauvre. Elle m'a plaqué là quand elle l'a su. Je lui ai demandé si c'était bien la raison, elle m'a répondu oui.

Là, j'ai cassé ma table de travail d'un coup de marteau. J'ai pris ma casquette sans dire un mot. J'ai été voir le prêtre qui m'a donné l'adresse où je suis ce soir, et je suis parti pour la paix.

J'ai vingt-six ans aujourd'hui. Je suis dans le nord,

colon. *Je me suis battu, j'ai gagné. Je suis venu, j'ai défriché, bâti, labouré, semé, et j'attends la récolte.*

J'ai pas les théâtres à ma porte, les journaux, la belle société, le téléphone, un beau contact, la sécurité des salariés, le confort facile, des pensions, mon verre de bière froide dans les chaleurs. Mais j'ai ce que trouvent difficilement, dans les villes, les gens sans instruction comme moi : du pain, puis de la paix. Deux choses qu'on rencontre rarement sous le même toit, excepté dans les grands monastères.

Et puis, à part ça, les frémissements du siècle ne viennent pas me troubler. Je ne suis pas au courant des amitiés trompées, des histoires malades, des calculs rusés, des chansons corrompues.

J'ai du vent plein l'âme, comme une goélette en plein large. Quand je tourne ma hache au soleil, les montagnes me regardent.

Celle qui viendra me rejoindre devra être digne de ma maison, de mon lot, de mon silence et de moi.

Qui pourra dire que j'ai été inutile ?

Je recule le bois pour faire de la place aux foyers. Je fais le ménage dans la forêt pour recevoir la race. Je prends mes ordres des défunts, ma force sur le chapelet. Je ne parle pas de tous les secrets que le bon Dieu me dit, par-dessus mon épaule, des fois ; qu'est-ce que vous voulez... un continuateur de pays a de grands privilèges ; d'ailleurs, c'est le seul ami que j'ai. Soyez pas inquiets pour moi. Je sais qui je suis.

Quelque part en Abitibi, bien loin ce soir dans le nord, plus loin que la tempête de neige, plus loin que la dernière paroisse du dernier diocèse, dans l'éclaircie d'une forêt perdue, où il n'y a ni téléphone, ni voisins, ni radio, ni restaurant, brûle une lampe à l'huile.

Comme un lampion d'église, elle éclaire les pages d'un cahier à lignes, où nous venons de lire.

Lui dort, les cheveux défaits sur la table, le front sur les deux poignets, comme le lion qui s'est battu tout le jour.

Tanis

À l'âge de trois ans, il lui était arrivé un malheur. Un accident. Les vieux disaient qu'une faucheuse lui avait broyé les jambes, d'autres prétendaient que c'étaient les suites d'une maladie d'enfant. Chose certaine, il était infirme. Il ne marchait pas. Il avait les jambes comme deux bas de laine. Il pouvait les prendre avec ses mains, les plier sous lui, les mettre en paquet, s'asseoir dessus sans douleur. Recouvertes d'une peau trop grande, qui pendait, ses jambes étaient mortes.

Par contre, il avait des bras formidables, un torse d'athlète, un cou de lutteur, mais un visage laid avec des boutons sur le nez et des points noirs. Tanis était son nom. Incapable de suivre ses frères aux travaux de la ferme, il passait ses jours en face de la maison dans un petit restaurant que son père lui avait bâti. Collé sur un banc qu'on avait fait à ses mesures, il guettait les heures et les clients sans parler, bien au milieu de sa solitude.

Lorsqu'un étranger entrait, il le regardait fixement avec des yeux vifs, presque durs, des yeux qui n'admettaient pas qu'on s'aperçût d'une infirmité. S'il ne comprenait pas du premier coup, il se faisait répéter la demande en pâlissant.

Alors, il se déplaçait étrangement comme un gorille. Il cramponnait ses mains, une au comptoir, l'autre dans les tablettes et, au rythme de son infirmité qu'il balançait dans le vide, il avançait par la puissance de ses bras. Vis-à-vis de l'objet demandé, il s'arrêtait, retirait la main attachée au comptoir et, suspendu par l'autre comme un quartier de viande chez le boucher, il faisait le tour de force que je vais vous expliquer.

Il portait toujours, accroché à sa chemise, un manche à balai de trois pieds de longueur environ, dont un bout finissait par un clou plié en crochet. Pendant que son corps pendait au bout d'une main, de l'autre il prenait son bâton pointu et avec adresse piquait au-dessus de sa tête l'article demandé, donnait un coup et, au vol, l'attrapait. Le client était servi. Le bâton se raccrochait à sa poche de chemise, l'infirme se rebalançait à reculons, retombait sur son banc. Toute cette manœuvre durait le temps de le dire. La caisse s'ouvrait devant lui, il recevait l'argent, remettait la monnaie, et le client ébahi continuait son chemin, emportant cette étrange vision d'un malheureux qui a du courage.

L'infirme vivait seul dans son restaurant. Seul. Même le soir quand la jeunesse s'y rassemblait pour fumer, jaser et quelquefois danser au son des disques. Surtout quand il y avait du monde, il était seul, et plus encore quand il y avait de la danse. On s'approchait bien de lui comme ça : « Bonsoir, Tanis ». Mais trop machinalement. Et Tanis se composait une grimace qui riait. On lui tournait le dos, on allait ailleurs, on se groupait aux tables. Et les yeux durs de Tanis suivaient de loin, par les vitres, de son comptoir, les gars de son âge, mais qui avaient des jambes.

Quelquefois un jeune homme proposait un tour

d'auto. Combien de fois, au milieu des rires et des cris, il avait vu, par la route où descend la brunante, disparaître garçons et filles, comme un voilier d'oiseaux heureux, les ailes ouvertes.

On oubliait toujours d'inviter Tanis. On oubliait toujours de fermer sa porte. Et quand la voiture entrait là-bas dans le soir de la côte, emportant chansons et belles jupes, Tanis laissait son banc, se traînait par terre avec ses mains, comme un enfant, poussait la porte, s'assurait que personne ne venait au loin, faisait le tour des tables, ramassait les bouteilles vides. Le ménage fini, il grimpait sur les chaises, faisait le tour des cendriers, les vidait tous, sauf un qu'il apportait derrière son comptoir et cachait sous son banc : celui qui avait une cigarette avec un bout de rouge à lèvres de femme. Flora était la seule qui fumait. Flora était la seule qu'il aimait.

Pour se transporter de chez lui au restaurant, du restaurant à chez lui, Tanis avait un chien, un bon chien. Un terre-neuve noir, à poil long, avec une fale blanche, de grosses babines rieuses et de bons yeux d'ami responsable.

Tout jeune, avant même qu'on l'attelât, il s'était attaché à Tanis. Peut-être parce qu'il se faisait souvent dire : « Tu m'aideras un jour ». Il s'appelait Galop. Galop grandissait, devinant pourquoi son maître l'aimait tant. Quand il fut en âge, on lui passa le collier, un beau collier épais, léger, qui lui allait bien. Il devait le garder douze ans sans jamais l'enlever. La voiture aussi allait bien avec lui. Elle était petite mais belle, avec son siège rouge, ses garde-boue solides, ses roues de broche et le coffre en arrière qui barrait au cadenas. Durant les premiers jours de ce nouveau mode de transport, Tanis oubliait le passé, le présent ; on le voyait même rire parfois. Quelle différence avec hier, au temps où ses frères faisaient un banc et, le tenant par les poignets, l'y assoyaient, lui l'infirme, et le transportaient à son ouvrage, à la hâte pour ne pas être vus.

Comme il avait été humilié souvent ! Trois fois par jour au moins. Quelle souffrance que de tenir en pleine rue ses deux frères par le cou, comme un enfant qui a peur de tomber ! Deux frères qui ne parlaient jamais, qui plaçaient et déplaçaient leur fardeau sans amour, par routine.

Mais maintenant, c'était fini. Il était libre, indépendant et soulagé. Son terre-neuve était là, sous l'escalier, prêt à paraître au premier appel, à se placer lui-même ; Tanis n'avait qu'à descendre les marches, trois marches faciles, à grimper dans la petite voiture et hop ! À droite ou à gauche, lentement ou en vitesse, les petits cordeaux sont là dans ses doigts, il n'a qu'à les presser et le chien obéit en branlant la queue.

* * *

Un après-midi de soleil, il retournait à son restaurant dans sa voiture. Comme le chien mettait le pied sur le macadam pour traverser, un côté de l'attelage se détacha. La cheville de fer tenue dans le travers de bois sortit, et la pauvre bête ne pouvant ni reculer, ni avancer, se coucha par terre. Tanis devint blême, blême comme quand il faisait répéter un client. Il ne savait plus que faire. Si une automobile survenait — elles surgissent comme des flèches dans le détour — qu'arriverait-il ? Il s'apprêtait à descendre, à se traîner dans le gravier pour débarrasser le chemin, sauver sa peau, lorsqu'une jolie voix de femme lui dit dans le dos :

— Permettez ?

La jolie voix sauta en bas d'une jolie bicyclette qu'elle coucha en hâte dans l'herbe. Elle s'approcha du chien, le caressa, remit la cheville en place et se recula en disant :

— Voilà !

Elle enfourcha sa bicyclette et continua sa route en riant.

Tanis n'avait pas dit merci ni rien. Il suait à grosses gouttes. Il y avait du vent dans la robe et les cheveux de la fille. Elle s'éloignait preste comme une biche et son parfum resta. Qu'avait-elle ? Une fée qui passe dans un rêve. C'était Flora. Hélas, pourquoi les jolies filles ont-elles pitié ? On devrait leur apprendre qu'il est défendu à certaines gens d'aimer.

Aucun client cet après-midi-là. Pour revivre son bonheur, il faut être seul comme pour relire une lettre d'amour. Et Tanis, les yeux fixés sur la route, relisait sa première page, et la seule page de tendresse qui lui fût jamais adressée.

Il voyait le geste, le minois, l'allure, le sourire, les dents blanches et humides, les souliers bruns avec une grosse langue de cuir effrangé qui retombait sur les cordons.

Elle avait un pied si petit, une jambe si droite !

Tanis était heureux et rêva, sans savoir que l'on paie pour tout ici-bas, même pour les rêves.

* * *

Un soir, Flora s'avançait à pied, au bras d'un jeune homme. Tanis l'avait aperçue, l'avait reconnue de loin. Elle avait une autre coiffure qui la maigrissait et des fleurs à la main.

Le jeune homme était en chemise blanche, collet ouvert, bras nus. Il se nommait Berchmans. Berchmans était fort, bien fait, quoique petit. Il avait la chevelure épaisse et bien bouclée. Quel couple !

Ils entrèrent en se tenant par la main.

Flora avait gentiment dit bonsoir. Et Tanis, de son banc, avait blêmi en répétant bonsoir.

Berchmans avait pris deux bouteilles d'eau gazeuse, deux verres et s'était dirigé vers sa compagne.

D'autres amis les rejoignirent et, une heure plus tard, toute une jeunesse riait et s'amusait dans le restaurant.

Même Tanis, de loin, par les vitres de son comptoir, suivait les propos et riait.

Puis on en vint aux tours de force, comme c'est la mode quand plusieurs jeunes paysans se rencontrent. On tira au casse-doigt, au poignet. Berchmans gardait la première place dans tout. On recula les chaises, balaya le prélart et, sur le dos, on tira à la jambette, au bâton, au coup de pied.

Berchmans, vainqueur toujours, avait chaud. Soudain, grisé par le jeu, il fit un bond en l'air, s'accrocha des deux mains à la poutre et se passa le corps entier dans le cercle que faisaient ses bras. Il se noua et dénoua ainsi jusqu'à huit fois. Tout le monde applaudit.

Lorsqu'il retomba sur le plancher, encore étourdi par la culbute, il remarqua, en s'épongeant le front, des yeux qui le fixaient entre les vitres du comptoir. Deux yeux vifs, presque durs, qui ne riaient plus. Les autres s'en aperçurent. Il se fit un silence. Et Tanis blêmit en se sentant regardé. Il dit en bégayant un peu :

— Berchmans, fais-le dix fois.

Berchmans amusé, répliqua :

—Je pensais pas même le faire cinq fois !

Puis ce fut tout. Des conversations se croisaient, mais par bouts, sans entrain ni suite. Une langueur pesait sur le restaurant, comme un défi qui n'est pas relevé. L'infirme attendait en tournant dans ses doigts sa canne à crochet.

Tout le monde connaissait sa force. Un soir, il avait gagné dix dollars à faire des acrobaties. Acrobaties pénibles, plus pour les spectateurs que pour lui.

D'ailleurs Berchmans n'avait pas d'argent, ne voulait pas gager et l'infirme ne forçait jamais sans gageure. C'est pourquoi Berchmans fut bien surpris lorsque Tanis lui demanda :

— Pour rire, amenez-moi pour rire.

Berchmans et un ami le prirent sous les aisselles, le transportèrent sous la poutre que Tanis regardait avec agitation.

— Levez-moi, fit-il.

Les deux jeunes gens le poussèrent à bout de bras et se reculèrent quand il fut accroché par une main. Toute la salle l'entourait sans dire un mot.

Les deux guenilles pendaient inertes, mortes, laides avec aux extrémités des petits souliers de toile à la semelle neuve.

Tanis, lentement, d'une seule main sans s'énerver, se leva dix fois et alla se baiser le pouce. Puis il recommença avec l'autre bras.

Alors il fit ce que jamais il n'avait fait. Ce que jamais il n'aurait fait. Ce que jamais il n'a répété par la suite.

Il partit en courant comme un singe tout le long de la poutre, en plaçant ses mains l'une devant l'autre, si vite qu'une demoiselle fut effrayée et cria.

167

Au bout de la poutre, d'un élan formidable, il se lâcha dans le vide, tomba sur une des tables, rebondit par terre et se prit à rouler comme une boule jusqu'à son banc.

Personne ne voyait plus : la stupeur, la poussière même et la surprise embrouillaient la vue.

On s'approcha de lui.

Comme dix minutes, auparavant, il était assis, blême, calme, mais fatigué et souriant comme un vengé.

La veillée était finie. Chacun sortit tranquillement. Il se faisait tard. La nuit était venue. Il fallait fermer.

Flora passa la porte au bras de Berchmans, sans même regarder derrière le comptoir.

Un à un, deux par deux, tout le monde s'en alla et Tanis resta seul.

Ses clefs d'une main, il se traîna difficilement vers la sortie, éteignit les lumières, barra la porte et, sur la galerie, siffla son terre-neuve qui l'attendait.

Le chien se montra, moitié endormi, se plaça comme d'habitude, la voiture près des marches. Mais le maître, au lieu de monter tout de suite, dit au chien :

— Tourne, viens ici. Viens me voir.

Le chien obéit.

— Lèche, qu'il lui dit.

Et le chien lécha la main gauche de l'infirme dont la paume avait une entaille d'un pouce de long.

La nuit était si belle ! L'infirme eut envie de pleurer. Non à cause du sang qu'il perdait, mais à cause du bonsoir qu'il n'avait pas reçu, à cause de la vie, à cause de tous les autres soirs qu'il passerait seul.

L'Écriteau

Un vent dur râpait la campagne. Les tiges d'avoine oubliées dans les coins de clôtures, et les rares brins de foin debout dans le givre de novembre n'en finissaient pas de grelotter et de courber la tête.

La froidure passait en sifflant.

Dans les allées de jardins, dans les traces de voitures, les feuilles de glace luisaient.

À genoux sur le plancher de sa remise, les clous dans la bouche, un homme à barbe, marteau au poing, clouait des planchettes sur le dos d'un piquet. Il achevait un écriteau.

Il coucha les clous qui dépassaient, affila la partie qui irait dans la terre et attendit. Quatre heures.

De loin, sur la route, des points noirs grossissaient en se balançant : c'étaient des écoliers qui retournaient chez eux. L'homme attendait sa fille. Quand elle fut proche, il lui cria dans le vent :

— Denise, tu viendras m'aider. Va porter ton sac avant.

La petite disparut dans la maison. Elle ressortit presque aussitôt, une beurrée à la main.

L'homme s'avança vers l'armoire au-dessus de l'établi, prit un petit pot de peinture noire, le déboucha, y trempa un pinceau et dit à l'enfant :

— Tu vois cette planche-là ?

La petite dit oui.

— C'est une affiche que je veux piquer sur ma terre à bois, parce que je me fais voler du bois, reprit-il ; écris dessus : *Défense de passer*, hein ? En belles grosses lettres.

Et l'enfant mangea sa beurrée, prit le pinceau, le trempa dans la peinture noire et sagement, comme une écolière, obéit.

Quand les lettres furent bien alignées, l'homme renvoya sa fille à la maison, prit l'écriteau, une hache, se faufila derrière ses bâtiments et fila dans la direction de son voisin.

Rendu au clos de la ligne, il s'arrêta, regarda alentour. Personne. Vite, à grands coups rapides, il massa son écriteau dans un petit sentier qu'il y avait là. L'ouvrage fini, il s'éloigna à reculons, les dents serrées, le chapeau sur les sourcils, en jouant du marteau dans ses mains. Il entra chez lui.

La noirceur était venue. On soupait à la lumière dans toutes les maisons. C'était la fin du jour.

Chez l'homme à barbe, on mangea sans parler, mais chez le voisin, le fils fit part à son père de ce qu'il avait aperçu dans le sentier.

— Tantôt j'ai longé le clos de ligne en revenant du bois. J'ai vu quelque chose, ça vous fera pas plaisir.

— Qu'est-ce que c'est que t'as vu ?

— Un écriteau. Trois petites planches grises dans le front d'un piquet ; des mots noirs dessus, face à chez nous.

— Quoi d'écrit ?

— Défense de passer.

— L'as-tu écrasé à terre ?

— Non.

— T'as pas jeté de la vase dessus ?

— Non.

— Défense de passer ? Lui ? Il a fait ça ? Il m'a déclaré la guerre ? Il pense que je vais faire le tour chaque matin pour porter mon lait ?

Le fils ne répondit rien. Le père continua :

— J'ai compris. Depuis quelques années, on se parle pas ; on se regarde comme deux tonnerres ; dernièrement, on a commencé les injures, il veut en venir aux coups ? Je suis prêt. Comme une roue de voiture, je vais passer dessus. Je l'haïs, comprends-tu ? Je l'haïs, ce voisin-là.

Le fils répondit, avec un sourire de reproche :

— Savez-vous que vous m'enseignez la haine ?

— C'est ma bataille à moi. Tiens-toi au loin si t'as peur. J'ai été élevé à écraser les mouches qui me mangeaient le corps l'été ; *paff*, à terre, vis-à-vis ta semelle de bottine. Il l'a voulu, il va payer.

C'était complètement la nuit. La nuit noire, sans lueur, qui bouche les yeux et rend inquiet ; la nuit complice qui avive la haine et empêche de dormir ; la nuit dans le cœur des deux voisins. L'un caressait sa haine, l'autre réveillait la sienne. La rancune entra avec sa compagnie de démons, s'installa dans l'âme de l'insulté et lui conseilla des choses ignobles. Puis le silence et le vent s'en mêlèrent. Vivre devenait une plaie. Les minutes collaient dans le temps et ne se décidaient plus à passer. L'un après l'autre, bons sentiments, vertus, principes et souvenirs se noyaient dans cette vague bousculeuse qui s'appelle la haine. Le père et le fils, sans une parole de plus, se séparèrent. Lentement, le fils monta dans sa chambre. Le père resta à la noirceur, à veiller seul en face du poêle. Par le grillage de côté le feu sortait la langue et grimaçait des signes. L'homme songeait...

* * *

Le fils va faire le récit de ce qui arriva ensuite. Dans ma chambre, je ne m'endormais pas. D'ordinaire, aussitôt couché, aussitôt parti ; mais ce soir-là, j'avais souleur, j'étais mal à l'aise ; les couvertures me pesaient sur le dos ; les murs de ma chambre étaient laids ; jusqu'à mes chères guenilles de cultivateur qui me dégoûtaient.

J'essayais d'oublier l'écriteau, de me souvenir des vacances, de mon temps de collège, de mes amis ; il me semblait que j'étais seul au monde, loin de la vérité et de l'amour, égaré dans la nuit de novembre.

Le père ne dormait pas non plus ; je l'entendais remuer dans sa chambre, se rouler, bâiller et souffler ; des bouts de phrases s'échappaient de dessous sa porte : « Je passerai bien pareil, chien ». Des mots comme ceux-là. Non, je n'étais pas heureux. Je croyais ma jeunesse plus forte que la haine, et ma jeunesse avait envie de pleurer comme une vaincue, comme une qui a tort. Enfin, une lourdeur m'écrasa ; mes muscles se délièrent ; une à une, mes pensées s'éteignirent comme des cierges à bout de mèche et je m'endormis.

Chez moi, nous avions l'habitude de nous lever très tôt, avant le soleil, pour faire le train ; ainsi, nous avions le temps de faire refroidir le lait de nos vaches pour la livraison du matin. Vers cinq heures, le père venait frapper à ma chambre, c'était son habitude.

Ce matin-là, il ne vint pas. Je me suis éveillé en sursaut dans mon lit ; j'avais passé tout droit, et ça ne m'arrivait jamais ! Il devait être neuf ou dix heures de l'avant-midi parce que le soleil frappait dans ma fenêtre ; je le voyais tout clair et joyeux à travers ma vieille toile verte. Il faisait bon dans ma chambre, et cette belle lumière dehors, couleur de juillet, me rendit ma jeunesse et mon courage. Enfin, la nuit avait été bonne, le passé était dans le néant.

Vite au bas du lit. Je fis trois pas, m'étirai à la hâte ; je crois que je riais ; et puis je donnai un petit coup à la toile qui bondit jusqu'en haut.

Alors là, j'ai vu une chose que jamais de ma vie je n'avais vue et que jamais je ne veux revoir. Non, jamais.

Il n'y avait pas de soleil dehors ni avant-midi. Il y avait le feu ! La grange de notre voisin était en feu ! Il était quatre heures du matin. Ce que je fis ? Je regardai, je me frottai les yeux ; avec mon pouce, je touchai la vitre comme pour effacer une mauvaise image. Je tournai autour de ma chaise, je ne trouvais plus mon linge. La plus odieuse supposition me dansait dans l'esprit : papa aurait mis le feu pour se venger ?

Dans une minute, j'étais dégrisé de ma nuit, de mes rêves ; j'avais le cerveau lavé comme un savon qui sort de l'eau ; et la réalité était bien là : la grange de monsieur Georges se faisait manger par un grand feu rouge et jaune ; il me semblait voir les animaux dans l'étable, les pieds dans leur crèche, l'œil blanc, le naseau ouvert, crier à l'aide en essayant de casser leur chaîne. Vite, je sortis dans le passage ; sans frapper, j'ouvris la porte chez mon père. Il étais assis dans son lit, très calme, les yeux bien ouverts, et regardait brûler la grange de son ennemi.

— Venez, que je lui dis.

Et j'avais peur qu'il réponde : que le chien brûle ! Mais non. Il ne dit pas un mot, même qu'il s'énerva. Il ramassa ses bas et ses chaussures, et sa chemise et tout, et se vêtit en un rien de temps. J'étais très ému, parce que je venais de reconnaître l'homme que j'avais perdu et que j'aimais. J'étais content de voir sa charité plus forte que sa rancune. Ensemble, on sortit à la course. Ça sentait le feu dehors ; c'était sinistre avec le froid qu'il faisait.

Le père me suivait sans parler ; et je courais sur les feuilles de glace dans l'allée du jardin, résolu à me dépenser dans le feu, s'il fallait.

D'un saut, j'enjambai la clôture et je retombai pieds joints près de l'écriteau ; entre deux coups de lumière, je l'ai entrevu mais il était à peine visible à cause des buissons qui le cachaient. Il me fit moins mal au cœur que la veille ; plus que ça, il me fit pitié.

Le père sauta aussi ; moi, j'avais sur lui une avance de quelques verges. Tout à coup, je l'entendis tomber derrière moi, de tout son long par terre, la face dans l'herbe givrée. Je revins sur mes pas, le pris par les aisselles, l'aidai ; puis brusquement debout, il dit très sérieux :

— C'est rien. Continuons. C'est l'écriteau. Marche. Il me poussa dans le dos ; je me souviendrai toujours de sa figure quand il me dit : « Marche ». J'ai vu qu'il était solide.

J'avais là, dans mes mains, la forme de son épaisse charpente, et mes yeux venaient de voir aussi la belle forme de son âme.

À la course, on repartit encore.

Moi, mon idée fut d'aller tout de suite à la maison, voir les gens et recevoir des ordres pour faire le plus pressé. Je vis dans la fenêtre de la cuisine, madame

Georges, debout, qui regardait le brasier, immobile, comme une statue, en cachant sa petite sous son tablier. Je me retournai : mon père n'était plus avec moi. Alors je m'approchai du feu, le visage dans mon coude pour éloigner la chaleur. Je fis le tour de la grange et, en arrière, où le feu était moins fort, des animaux sortaient en beuglant et en se pressant par la porte qui donnait sur la prairie. J'avançai, me glissai entre les bêtes et parvins à pénétrer dans la grange.

À droite de l'étable, il y avait monsieur Georges qui détachait les vaches ; je le voyais à travers la fumée ; et à gauche, mon père qui détachait les bêtes sur le côté gauche ; moi, je guidais les animaux dehors en criant de toutes mes forces. Le feu craquait au-dessus de nos têtes. Monsieur Georges était nerveux ; il frappait les bêtes lui aussi et les dirigeait vers la sortie. Tout à coup, je vis les deux hommes se rencontrer presque front à front, au cou de la dernière vache qu'il restait à sortir ; ils étaient très près l'un de l'autre. Je les ai vus comme deux géants qui cessent de se battre, s'unissent et mêlent leurs forces pour sauver de la mort les bêtes, les amies de l'homme ; des bêtes sans défense qui restent là, affolées, beuglant leur tristesse, leur envie de vivre, et surtout leur faiblesse. J'ai vu le courage de deux hommes, mais ce que j'ai vu de plus cette nuit-là, j'ai vu la haine de ces deux voisins fondre comme de la cire. Entre eux, il s'est passé des choses qu'eux seuls emporteront dans la vie, de ces choses qui brûlent à jamais l'envie de détester qui que ce soit. Et je me disais en moi-même : « Bienvenue à toi, malheur, quoique tu fasses des dommages ; tu viens de Dieu, puisque tu transformes en amitié ce qu'il y a de plus laid sur terre. Malheur, sois le bienvenu, fais-nous mal, purifie-nous ».

Au lever du soleil, le feu achevait de manger des restes de grosses poutres. Tout était rasé, effondré, comme enlisé sous terre. La grange était retournée en cendres.

Dans la cour, le village entier circulait par groupes. On poussait des traîneaux, des voitures ; les chevaux hennissaient et se cabraient follement, sans savoir où on les menait. Les voisins se partagèrent les animaux de monsieur Georges, en attendant la construction de l'autre grange qu'une corvée aiderait à bâtir.

Peu à peu, chacun s'habitua au malheur ; chacun sut que monsieur Georges avait renversé son fanal dans le foin ; chacun raconta la tragédie à l'autre qui la savait déjà.

Durant une partie de la journée, des visiteurs allaient et venaient ; les curieux ralentissaient leur auto sur la route, puis continuaient. Des inspecteurs, avec des dossiers de cuir sous le bras, vinrent calculer les pertes ; et enfin, et tout, et tout. Je ne vis monsieur Georges qu'une fois cette journée-là ; il était désemparé et se cachait comme un enfant malheureux qui demande au silence pourquoi la vie est si bête parfois.

Je le vis, vers les trois heures dans l'après-midi, les deux mains dans les poches, le coupe-vent boutonné jusqu'au cou, s'approcher de sa grange, remuer les ruines avec le bout de son pied, cracher dans la cendre, regarder tristement autour, puis s'avancer vers notre clos de ligne.

J'étais dans le bord de la batterie chez nous et je l'ai vu se pencher, ramasser l'écriteau, le fendre vigoureusement sur ses genoux, et le lancer loin dans les buissons comme on lance une pourriture.

Cette seule journée m'avait fait réfléchir sur la vie plus que des mois de collège, et je me disais : « Si jamais j'aime quelqu'un, je veux le connaître dans le malheur ; il m'éprouvera et je l'éprouverai ».

Ce soir-là, avant le souper chez nous, le père et moi, on entendit frapper quelqu'un à la porte de la cuisine. C'était la fillette de monsieur Georges qui venait, toute gênée et triste, nous faire une grande commission. Les yeux baissés, elle s'adressa à mon père.

— Papa m'envoie vous dire que le sentier est libre, l'écriteau est parti.

Mon père dit :

— Comment ça va chez vous ?

— Après-midi, papa pleurait, répondit l'enfant.

— Oui ? Dis-lui qu'on va lui aider.

— Dimanche prochain, on peut avoir votre voiture pour aller à la messe ?

— Dis-lui qu'il l'aura.

Puis il offrit à l'enfant de rester à souper. Elle dit gentiment merci, bonsoir, et partit sans faire de bruit.

Alors, le père parla, tranquillement, comme s'il eût été seul dans la cuisine.

— Le feu, on sait que c'est dur ; ça mange tout. Je l'ai vu, je le sais. Plus de grange, plus rien, le bonhomme. Il y en a des coups de marteaux dans une grange, des sueurs, de la tôle coupante posée feuille par feuille, des calculs, des histoires dans chaque coin ; une grange, ça en a enduré ; si ça parlait ! Puis le feu arrive : ffff... deux heures, fini. Non, je lui ai pas parlé à lui, à matin, au-dessus des animaux ; on s'est vu par exemple, mais pas un mot, on s'est compris pareil. Nos quatre mains se sont rencontrées sur le collier de la même bête, la dernière qui restait. Je peux pas dire ce qui s'est passé, mais c'était doux dans le fond de nous autres comme un matin de printemps, avec les toits qui dégouttent au soleil. Si j'ai

177

pu lui donner une chance, tant mieux ; j'ai rien fait d'extraordinaire.

J'ai pas pensé au fenil qui nous branlait au-dessus
de la tête ; j'ai juste pensé que c'était ma grange à moi qui
brûlait ; je suis allé, c'est tout. Chaque bête que je sauvais,
c'était comme mon troupeau à moi que je sauvais. Tu les
entendais beugler ? C'est ça. Ça nous supplie. Le feu
n'avait pas d'affaire à les étouffer ; le feu n'avait pas
d'affaire à avaler le foin d'hiver ; à engouffrer les planches l'une après l'autre, à empoisonner les carrés de provisions, à percer les poches d'avoine, à cerner des voitures, à faire du mal, pas d'affaire. C'est pour ça que je suis
allé, pour tuer le fléau qui brûlait le travail d'un homme ;
un homme comme moi, qui a donné sa vie à la terre ; qui
sait ce que c'est le froid, le chaud, la faim, la pauvreté, la
lutte ; un homme qui voyait là, devant lui, la pesanteur de
son existence s'échapper dans l'air, déserter, prendre le
large, disparaître sur les houles de fumée. Je suis pas allé
là avec mes haines, avec mon cerveau calculeux, avec une
commande dans ma poche ; je suis allé là librement
comme un volontaire, un frère ; comme un pauvre qui
voit souffrir un autre pauvre ; un humain qui voit faiblir
un autre humain.

Si j'avais pas eu d'âme, je me serais rendormi dans
ma chambre, en me bouchant les yeux avec mes cou-
vertes, pour pas que la lumière me dérange. Je suis allé
pour aider. Aider, ça réjouit ; je suis réjoui. Je suis content
d'avoir risqué.

Mais lui, il a risqué sa vie bien plus que moi,
lui, Georges. Tu l'as vu, toi, se faufiler dans le port de sa
pouliche ; elle tirait au renard, toute nerveuse ; il a grimpé
debout dans sa crèche ; il lui a arraché son licou de force,
puis il s'est battu avec, il l'a sortie en luttant, en la

poussant sur le poitrail, comme quand on pousse sur un mur. Quand on a vu ça, les petites histoires d'écriteau sont loin. C'est un homme, lui.

Celui qui envoie les feux sait ce qu'il fait. Ça soude le monde ensemble. Je pense qu'on était deux hommes corrects qui se donnaient la main dans une sorte de purgatoire, comme deux morceaux de fer s'unissent dans le charbon rouge. Le principal, l'écriteau est mort. J'ai le droit de passage. Je suis un homme libéré.

Banc 181

Monsieur le curé était monté à sa chambre sans dîner. Passant près du vicaire qu'il avait croisé au bas de l'escalier, il lui avait dit :

— Je mangerai plus tard. Si quelqu'un vient, répondez pour moi. J'ai un travail à terminer.

Il s'était enfermé en haut, chez lui. Une inquiétude le tourmentait. Debout près de la fenêtre qui donnait sur la rue, il regardait ses paroissiens dehors, à travers les petits rideaux de dentelle blanche ; les mains dans le dos, il songeait.

De tous ceux qui passaient en bas, un seul, un vieillard avec deux cannes, avait salué l'église, sans enlever le chapeau à cause de ses cannes, mais d'un petit salut sec qu'il faisait toujours de biais. Tous les autres allaient, insouciants, la tête haute, en sifflotant sans respect.

Une voiture fila soudain à toute vitesse ; des jeunes du village, filles et garçons, allaient au bain, moitié vêtus. Monsieur le curé se mordit les lèvres.

Il se pencha et vit, à gauche, au fond de la route, la nouvelle pancarte qu'on avait posée à une ancienne maison de pension : Taverne.

Le cœur lui fit mal. Il pensait.

Hier soir, les élèves avaient donné leur séance à la salle paroissiale ; à peine y avait-il cinq rangées de monde ; la plupart étaient des parents des acteurs.

Sa pauvre salle paroissiale ! Depuis plusieurs mois déjà, les tables de billard étaient silencieuses, et les filets de ping-pong poussiéreux. Personne n'y venait plus s'amuser. Il se passait quelque chose. Il y avait de la gêne, de l'indifférence dans l'air.

Pourquoi cet avant-midi, le jeune Guérin, dans le rang du troisième, avait-il refusé de monter dans la vieille voiture du curé qui arrivait des malades ?

« J'aime mieux marcher, merci. » Le jeune Guérin avait ainsi répondu à son curé en détournant les yeux.

Dernièrement, on avait dissous, après la troisième séance, un comité de jeunes catholiques de la paroisse, pour la simple raison que personne ne s'y rendait.

Le curé songeait.

Le vent soufflait ses germes de mort sur la paroisse, vieille de soixante-dix ans.

Par toutes les portes du village, le modernisme entrait avec ses méthodes-éclair de s'enrichir, son dédain des vieilles choses, sa soif de volupté ; le modernisme entrait au village au son d'une musique sensuelle ; c'était clair et visible.

La semaine dernière, au passage du curé dans la rue, Nazaire l'ivrogne avait craché entre ses deux dents, sans s'excuser. Il n'était pas saoul pourtant.

Le dimanche, les paroissiens assistaient de préférence à la basse messe des touristes, à onze heures.

Dans le tronc d'aumônes pour les missions étrangères, derrière l'église, chaque semaine, le vicaire trouvait des bouts de papier et des sous de plomb.

Le curé regardait toujours dehors en pensant à tout cela ; une grande envie de pleurer le prit. Il était fatigué de vingt ans de ministère sans résultats. Dieu le punissait-il ? Ou le siècle était-il plus fort que la doctrine catholique ?

Son village était mordu. On abandonnait la religion, les principes, les coutumes, les chansons ; on semblait préférer au roc des siècles, la tapisserie du jour. On enterrait le fonds, le tréfonds de l'être et de l'âme canadienne ; on faisait une moue de pitié devant les grosses familles ; les fréquentations se faisaient en pleine rue, la nuit.

Le curé se mit à genoux sur son prie-Dieu et resta longtemps le front sur ses poignets.

Quand il se releva, il était calme et soulagé, faisait oui de la tête comme quelqu'un qui a trouvé une solution.

Il écrivit quelques notes sur une feuille, appela son vicaire, lui parla longtemps à voix basse. Le vicaire se retira soudain, comme s'il s'était senti malade.

Le curé téléphona à son évêque et, durant vingt-cinq minutes, il y eut une conversation difficile. Il ferma l'appareil en disant :

— Je vous assure que les choses en sont rendues là. J'essaierai. Merci, monseigneur.

Et pour la première fois dans le presbytère, la journée parut longue, comme une maladie sans nom.

L'insouciance continuait toujours au village ; il était visible qu'on était fatigué des soutanes.

La semaine passa. Le dimanche suivant, à la messe paroissiale, les gens furent surpris de voir l'église décorée ; des fleurs jusque dans les allées, monsieur le vicaire en surplis neuf, et le curé qui officiait avec les vêtements de grande cérémonie. On se demandait ce qu'il y avait ; ce n'était pourtant pas jour de fête ? Quand on fut rendu à l'Évangile, le vicaire nerveusement s'approcha de la sainte table ; ses mains tremblaient ; gauchement, il dit sans aucune maîtrise :

— Monsieur le curé a quelque chose de grave à vous annoncer.

Puis il se sauva vivement dans le chœur, près des enfants qui se regardaient étonnés.

Le curé, lentement, enleva le manipule, la chasuble d'or, se prosterna devant l'autel, fit un grand détour dans l'allée, monta en chaire (ordinairement il faisait ses sermons de la balustrade) se recueillit, se retourna vers les fidèles et commença très pâle :

— Mes frères. Vous ne savez pas ce que je vais vous apprendre...

Il avait la voix blanche, ébranlée, comme si les paroles ne voulaient pas sortir.

— Vous vous demandez pourquoi l'église est en fête aujourd'hui ?

Et lentement, comme s'il eût été distrait, il examina les banderoles qui se balançaient dans la nef ; il promena longtemps ses yeux sur ses ouailles ; des jeunesses chuchotaient à l'arrière et ricanaient, comme chaque dimanche. Le curé attendit une longue minute, afin que cessât le bavardage, car rien ne semblait presser ce dimanche-là ; au lieu de s'emporter, il leur dit tendrement :

— Jeunesse, ne riez pas, ne riez plus ; ce n'est pas drôle, ce n'est plus drôle. Approchez, approchez dans les bancs. Venez mes enfants...

Quelques-uns se glissèrent dans les derniers bancs, mais plusieurs, gênés, étranglés de surprise, filèrent dehors.

Le curé continua :

— Écoutez-moi bien. Ce que je vais vous annoncer

est grave, écoutez... L'église a voulu se bien vêtir et s'orner, sortir ses plus belles toilettes, parce que... — il n'avait pas le courage, son menton tremblait — parce qu'elle vous fait ses adieux.

Il joignit ses grandes mains osseuses ; immobilité complète dans l'église, silence de cimetière ; les pieds cessèrent de remuer, et les gorges de se dérhumer. Le curé s'appuya sur la chaire et continua :

— Il n'y aura plus de messe ici.

Un autre silence.

— Ce soir, après les vêpres, l'église fermera ses portes pour ne plus les ouvrir...

Le curé tordit son mouchoir dans sa poche.

— La raison en est bien simple : vous ne voulez plus de nous. J'ai conféré avec l'évêque. Cette décision a été prise...

Il sembla demander au ciel la force de terminer.

— Dimanche prochain, ceux qui voudront aller à la messe devront se rendre au village voisin. Ici, l'église sera fermée.

Ces paroles eurent un effet tragique. Un marguillier ne put s'empêcher de crier presque à pleine tête : « Quoi ? » et il se renfonça de honte dans son fauteuil. Les gens se regardaient comme à la veille d'une panique. La voix éteinte, le curé dit une dernière fois :

— Nous partirons cette semaine. Puisque vous ne voulez plus de nous...

Il se retourna, chercha les marches comme un vieillard et descendit de la chaise, ses lunettes dans la main.

. . . .

« Quoi ? » On chuchotait d'un banc à l'autre. « Qu'est-ce que c'est ? Qu'est-ce qu'il a dit ? » Les gens, par-dessus les épaules, se faisaient des signes ; le malaise montait dans chaque visage.

La messe reprit fort mal. Au chœur, on ne chantait pas ; l'organiste ne donnait pas les bons accords.

Une sorte de stupeur régnait ; pêle-mêle avec des morceaux d'évangile, d'effrayantes visions, où il est dit que Dieu manifeste sa colère, Sodome et Gomorrhe, les fléaux et les persécutions, misère, châtiment, abandon, tout, pêle-mêle, passa dans le cerveau des paroissiens.

Ils regardaient le curé qui continuait cette messe. Quoi ? La dernière ici ? Plus de village ? Qu'est-ce qu'il a dit ?

À mesure que le sacrifice se poursuivait, les gens réalisaient comme des enfants que leur curé les abandonnerait, qu'il partirait. Quelques femmes pleuraient. Les hommes étaient comme perdus, et ne suivaient pas la messe ; il y en avait assis, à genoux, d'autres la bouche ouverte qui regardaient le plafond. Ce serait la dernière messe ? Plus de dimanche ?

Rapidement, la vie de chacun d'eux, la vie des villages canadiens-français surgit des profondeurs de leur âme. Qui les avait baptisés ? Qui les avait confirmés et instruits, qui leur avait enseigné la communion et la confession, la charité, l'humilité, le dévouement, le courage, l'éducation, la politesse ? Qui avait assisté leurs mourants ? Qui avait amené le collège, le couvent, l'orphelinat, l'hospice, la salle paroissiale, la bibliothèque ? Qui avait secondé le moulin dans la place et leur avait obtenu leurs dimanches, des heures de travail raisonnables, des salaires raisonnables, des jours chômés ? Sur l'initiative de qui étaient venus les agronomes ? Qui avait lancé des fils d'habitants dans les cours classiques et en avait fait des professionnels ? Où était enfin le fond de la race ; où était-il, ce fameux moteur qui, depuis trois siècles, faisait tourner ces énormes roues de religion, de langue, de droits, de traditions, de décence, de propreté des mœurs, d'idéal chrétien, de familles racées, d'esprits charitables, de politesse exquise et de moralité publique ?

Toutes ces choses passaient en se bousculant dans la tête des paroissiens.

Une petite institutrice, qui était dans la nef, pâlit soudain et perdit connaissance. Elle pourtant aurait dû se réjouir ; elle, la martyre, l'oubliée qui ne gagnait pas le salaire d'une laveuse de planchers. On venait de briser sa chaire d'enseignement ; on venait de déchirer l'a b c, d'écraser le tremplin où va se balancer l'enfance avant de sauter.

On dut la sortir ; elle était blanche et molle comme une morte. Il y avait longtemps que la messe était finie quand les paroissiens commencèrent à se retirer.

Unanimement, sans se le dire, comme une vague se retrouve après s'être émiettée sur un billot, toute la paroisse s'était ruée au presbytère, et voulait voir son curé.

Une autre blessure les attendait. Le presbytère était barré. Pour la première fois depuis l'existence de leur village, ils virent cette porte barrée comme une porte de banque ; fermée à clef comme une maison de commerce où l'on ne va qu'à certaines heures ; la seule porte du village où n'importe qui pouvait entrer nuit ou jour était fermée.

On cria. On pleura. Une vieille mère de famille se lança à genoux près des fleurs du parterre, sortit son rosaire à chaîne, et d'une voix de chef entonna le chapelet ; mais rien. Curé et vicaire étaient invisibles.

On avait cherché le bedeau ; on l'avait trouvé dans

187

la sacristie, nerveux, serrant, à pleines brassées de petites soutanes d'enfants de chœur.

On avait hissé un escabeau dans la fenêtre de la cuisine. La ménagère, assise sur une chaise au milieu de la place, la tête penchée sur la table et les cheveux défaits, était immobile.

Personne n'alla dîner. Comme un vent d'hiver, la nouvelle mordit tous et chacun, se propagea, fit le tour de la paroisse, pénétra chez les cultivateurs, courut même dans les rangs du bord de l'eau.

Alors, on vit, ce dimanche après-midi-là, sur les routes de campagne, une agitation, un va-et-vient, une poussière comme jamais on n'en avait vu ; les habitants l'un après l'autre se précipitaient au village en voiture, leurs chevaux ventre à terre, comme si dans chaque famille, il y avait un mourant ; on voulait savoir, voir, parler, conférer ; on était prêt à marcher pieds nus dans la cendre, à faire la grève de la faim.

Déjà devant l'église, un groupe de femmes avec leur bannière de sainte Anne au-dessus de leurs têtes, étaient agenouillées sur le ciment et priaient les bras en croix.

Les deux hôteliers du village fermèrent discrètement leur taverne ; les restaurants même se fermèrent ; on entendit souffler le cri de l'usine ; les ouvriers du dimanche déclaraient la grève, laissaient leurs établis et, en salopettes, leurs outils sous le bras, venaient par groupes affolés et battus, faire le chapelet à leur tour, tête nue sous le soleil, le long du trottoir de l'église.

Plus loin, au couvent, depuis le midi, les religieuses avaient ramassé les élèves et priaient dans les jardins.

Les frères enseignants étaient sur les routes qui menaient à la croix de la montagne et, trempés de sueur et de poussière dans leurs chaudes robes noires, ils cherchaient les endroits difficiles et souffrants, comme s'ils eussent voulu refaire le Calvaire.

Le comité des jeunes catholiques, s'étant réuni comme par enchantement, n'en finissait pas de se repentir, de délibérer, d'écrire des résolutions.

Des délégations des différents comités sociaux, des œuvres paroissiales, des conseils ruraux frappèrent chacun leur tour au presbytère, essayèrent de téléphoner. Rien. Plus de réponse.

Le maire et le chef de police craignaient la panique dans le village, pendant que les échevins étaient en session urgente.

Vers les trois heures, un hydravion de la métropole amerrit sur le lac : c'était le député du comté qui venait parlementer. Rien n'y fit. Il dut rester à la porte du presbytère lui aussi.

Au deuxième étage, le curé, dans sa chambre, était comme paralysé sur son prie-Dieu ; et dans la chambre voisine, fermée à clef, le vicaire toussait dans ses deux mains.

Soudain, le curé entend des pas, des pas lourds qui essaient d'être légers. Il lève la tête, se retourne. C'était Nazaire.

Ses grosses mains dans la figure, la casquette dans les doigts, accroupi sur ses talons, l'ivrogne, avec la voix dure, disait au curé en soufflant :

— Vous partez ?

— Que veux-tu de moi, Nazaire ?

— C'est vrai, ce que vous avez dit dans l'église ?

Le curé ne répondait pas.

— C'est vrai ou si c'est des peurs ?

Le curé pointa deux malles ouvertes près du lit.

— Vous partez ! Mon banc 181, lui ? Mon banc 181 dans l'église, le même que mon père avait ; mon banc à l'église, c'est sacré, sacré ; barrez pas la porte ; vous avez pas le droit ; mon père s'est assis dans ce banc-là ; ma mère m'a tenu sur ses genoux dans ce banc-là ; mes frères, mes sœurs... Mon banc 181... la paume de la main de mon père a usé le bord... ses genoux ont usé la marche de bois... depuis soixante ans qu'on est là... monsieur le curé... Et il bafouillait.

Le curé, qui souffrait intérieurement, le laissa se débattre.

— Qu'est-ce qu'on va faire si vous partez ? Pas d'église le dimanche, pas de funérailles à nos morts, pas de baptême à nos nouveau-nés ; pas de commandements, pas de lois, pas d'anniversaires ; qu'est-ce qu'on ferait avec la liberté d'adorer l'argent, de voler, de déshonorer son père et sa mère, de commettre l'adultère, de tuer son ennemi ; pas de sacrement de mariage, pas de confirmation, de communion ; pas de Noël, ni de messe de Minuit, ni de jour de l'An, ni de jour de Pâques, ni de Fête-Dieu, ni d'Assomption ; vous avez pas le droit de nous laisser sans défense, sans idéal, sans éducation, sans principes, sans pardon ; pas le droit : ni instruction, ni vocation, ni espérance, ni charité, ni foi. Vous avez pas le droit. Mon banc 181, vous avez pas pensé !

Le curé se taisait toujours et laissait se vider jusqu'au fond de l'âme de sa paroisse. Il lui était infiniment doux de voir, dans ce visage d'ivrogne, se débattre les racines de trois siècles d'histoire, de trois siècles de foi. Il venait de toucher avec son doigt la puissance du roc qui sert à la construction des choses éternelles.

— Moi, Nazaire l'ivrogne, je vous pose responsable de ma mort. Je me tuerai, si vous partez.

Il se leva, les yeux hagards :

— On est des écœurants, on est des salauds, des infâmes, des avortons, mais relevez-nous, relevez-nous...

Sa plainte sonnait sur les murs comme un *Kyrie*.

Le curé, qui avait assez souffert, se leva lentement, prit dans ses mains les épaules de l'ivrogne et lui dit :

— C'est bien, je reste.

L'ivrogne s'écrasa par terre.

— Va le leur dire, répétait le curé.

Alors, dans l'escalier, il y eut une dégringolade, toute la maison en trembla. Nazaire se ruait dehors ; dans son affolement, il cassa la vitre d'une porte. Il parut enfin sur la galerie du presbytère, comme un forçat qu'on vient de libérer et cria de toute sa force :

— Il reste ! Il reste !

Une immense clameur envahit la rue ; on criait comme à un jour d'armistice ; on s'embrassait et on hurlait. Une parade s'organisa aussitôt. Dans le soir qui descendait, des flambeaux furent allumés ; des cantiques à la Vierge sortaient de la cour du couvent, du collège ; un des deux hôtels ouvrit ses portes et l'hôtelier criait :

— Entrez! Je donne un banquet. Entrez! C'est gratuit.

Et par-dessus tout le chahut, une voix formidable se fit entendre, qui écrasait la rumeur avec sa chanson géante : c'était le bedeau, derrière l'église, qui se balançait d'un câble à l'autre, qui riait presque tout fort, nerveusement, qui plongeait à pleines poignées dans ses câbles comme un organiste sur son clavier, qui venait de mettre en branle ses deux hurleuses de cloches du carillon de Pâques.

Matin

Jean-Pierre marche au catéchisme. Et quand on dit marcher, c'est toute la portée de ce mot que l'on dit, le sens complet : marcher avec ses jambes, ses pieds, le balancement du corps et tout.

Six milles de marche qu'il fait, tous les matins, l'enfant pauvre, fils de cultivateur.

De leurs fenêtres, les vieux le regardent passer et ne disent rien. Jean-Pierre se rend au catéchisme. Il prépare sa communion solennelle.

Et c'est solennel de le voir aller dans le printemps sous l'aurore neuve et le verglas pur des branches, entre les chansons des rigoles. Il écrase les petits soleils qui filtrent dans la glace.

L'infini allumé donne un goût de prière, et, lui, repasse dans sa tête une leçon de catéchisme.

Ce matin, pendant le sommeil des hommes, il était dans l'étable, assis sur le petit banc à trois pattes, et trayait les vaches. Vaches au poil tiède, à l'odeur forte, aux naseaux humides.

Il était là, sa chaudière entre les mollets, et zing, zing... le lait chantait en s'écrasant, en faisant la broue blanche qui gonfle, épaisse comme l'écume des chutes.

À travers la tôle, il sentait sur ses jambes la chaleur du lait. Mais il n'a pas bu, à même la chaudière, les cinq ou six grandes gorgées qu'il garde toujours. Non. Pas ce matin. À cause de la communion qu'il ferait tout à l'heure.

Par le carreau de l'étable le jour s'étirait, son jour à lui, et il priait.

Soyez assuré qu'il la fit sa communion, et bien, et proprement. Au milieu des cloches et des alléluias et des cantiques qui sortaient jusque sur le perron de l'église, Jean-Pierre s'était approché, ému, de la table sacrée, pour recevoir sa récompense.

Il était endimanché, avait la chemise blanche, les mains nettes, et la coupe de cheveux qui lui maigrissait le cou.

Au bras, il portait le brassard immaculé, avec la frange dorée, et la large boucle défaite à cause du vent...

Les vieux, de leurs fenêtres, l'avaient vu passer au réveil et, sans dire un mot, avaient approuvé de la tête que la race vivait encore.

Par intérim

Ce matin-là, le postillon glissa une lettre dans la boîte au pied du chemin et partit sans prendre le temps de baisser le couvercle, comme s'il jetait de mauvaises nouvelles.

Sa voiture s'éloigna à toute vitesse.

Par une fenêtre de la maison, deux personnes le regardaient : les deux frères Alonzo et Raymond. Le dernier, qui était le plus vieux, dit :

— Tu y vas, à la boîte ? Moi je ne suis pas chaussé.

Alonzo fit un geste et répondit :

— Regarde...

Le père, à ce moment-là, sortait du verger, la serpe sur l'épaule. Il fit un détour par le chemin, prit la lettre, ferma le boîte ; tranquillement il la monta vers la maison en tournant et retournant dans ses gros doigts une épaisse enveloppe avec des timbres étrangers, avec le coup de marteau « Censure » écrit à l'encre verte au milieu ; c'était là peut-être ce qui avait effrayé le postillon.

Calmement, le chef de la famille entra chez lui, s'assit, lança la lettre sur la table, et dit à l'aîné :

— Lis donc ça tranquillement. Excitons-nous pas, quand même ça vient de loin.

Le fils Raymond lut la lettre à voix haute, en faisant de grands silences pour que l'on comprît bien :

La maladie pèse sur ma maison et les miens. Nous sommes en quarantaine, isolés du reste du village. J'ai besoin de toi, non pour emprunter, mais pour donner. Je t'attends sans faute, toi le petit-fils. Ne trompe pas mon attente. Viens, c'est urgent. Présente la carte bleue que je t'envoie, on te laissera passer jusqu'à moi. Je t'expliquerai tout...

Ton grand-père malade,
Jean Noble.

— Une lettre sérieuse, déclara le père.

Raymond fit une petite grimace, jeta le papier sur la table en disant :

— Une lettre bien écrite, bien écrite, mais...

— Mais quoi ? demanda le père.

— Grave, répondit l'aîné.

— Ensuite ?

— Je veux dire : importante, avec des conséquences lourdes ; le grand-père vous fait demander parce qu'il est dans le malheur ; c'est vous qui allez prendre soin de lui et de sa famille ? Si ça vous coûtait cher ?

— Ça me surprendrait que le grand-père conte des mensonges. Il dit qu'il veut me donner quelque chose, répliqua le vieux.

— C'est un prétexte pour vous attirer. Quand il vous aura en face de lui...

— Puis ?

— Puis, bien... je ne sais pas. Si vous vous sentez assez riche pour supporter deux familles.

Le père prit son temps et déclara :

— Le grand-père m'a déjà aidé.

— Oui ?

— Le grand-père m'a jamais trompé.

— Bon !

— Le connais-tu ou si tu le connais pas ?

— Je l'ai rencontré déjà, il est très gentil.

— Gentil, c'est pas assez.

— Franchement, il ne m'intéresse pas plus que ça.

Le père ne s'emporta point. Il dit simplement :

— Tu parles en l'air.

— Un bon souvenir, c'est tout ce que j'ai de lui, continua le fils.

— C'est pas assez.

— Qu'est-ce que je lui dois, à ce vieux-là, après tout ?

— Tu sais pas ce que tu dis.

— Vraiment, je lui dois quelque chose ?

Le vieux continua gravement :

— Ton instruction, tes pensées, ton caractère, ta religion, ton travail, tes chansons, tout. Aimes-tu la langue que tu parles ? C'est lui qui nous l'a passée. C'est un Noble. Tu sais ce que ça veut dire ? Parle pas sans réfléchir. Il veut me voir ? Je vais y aller. Si je peux lui rendre service, je suis prêt ; il sait que je suis pas riche, il me demandera pas des choses au-dessus de mes moyens.

— Vous ferez comme vous voudrez, répliqua le fils Raymond ; je ne suis pas le chef.

— Si tu l'étais ?

— J'oublierais la lettre de ce matin. Je ferais comme si je ne l'avais jamais reçue.

— Tu parles comme un enfant sans cervelle ; oublier sa lettre, ça serait sans-cœur.

— Je ne suis pas sentimental.

Le fils se promena en souriant avec dureté.

— Je m'enlève le cœur que j'ai ici pour te répondre puisque la mode est à la raison, lança le père. Supposons que je suis un morceau de glace, je dis : on peut pas se passer de lui.

— C'est discutable, fit l'autre froidement.

— Tu veux discuter ? Correct. Ça me fâche pas. Écoute, mon petit gars, je vais peut-être défaire ta pensée moderne, mais je vais te dire quelque chose.

— Quoi ?

— Un argument vieux comme le soleil, que je te jette sur la table : on peut pas se passer des ancêtres. Je te défie de casser cet argument-là. Je t'avertis d'avance : il est pas fait en verre.

— Les ancêtres ?

Le fils sourit une deuxième fois.

— Le siècle n'est pas de votre avis ; moi non plus.

— C'est pas lui qui a raison, le siècle. Le fils artificiel, le fils savant, le fils à doctrines neuves, vaut pas un cheveu du fils avec les coutumes, du fils avec la morale, du fils avec la loi des vieux.

Le fils en série est orgueilleux, l'autre est respectueux.

Les mains dans les poches, Raymond répondit :

— Ça vous amuserait si je vous répondais que je ne suis pas convaincu ?

— J'ai pas le droit de te demander de l'être parce que tu sais pas ton passé.

Le vieux s'échauffait :

— Parce que tu regardes pas ton présent, parce que t'as pas d'idéal, parce que t'as pas souffert.

— Je ne suis pas convaincu encore.

Le père attendit, murmura :

— Après qu'on a vu avec ses yeux, après qu'on a souffert avec son cœur, après qu'on s'est offert toute une vie pour une cause, la conviction est en dedans de nous autres.

— Discutable, lança Raymond.

Le père se leva :

— Je ne peux pas te prêter mes cinquante ans d'expérience, de vie avec les mottes dures, même pour une seconde. J'ai trop vu de miracles. Vieillis, après tu concluras. Comme t'es là, ça compte pas.

Le fils posa une question :

— Vous soutenez que l'histoire des ancêtres n'est pas une histoire finie ?

Le dominant de tout son âge, le vieux répondit :

— Finie ? Cartier, Champlain, Maisonneuve, Boucher, Montcalm, les huit martyrs canadiens connus, les milliers pas connus, qui avaient pris leur souche au pays de Bossuet, saint Vincent de Paul, sainte Jeanne d'Arc... Tu te trompes, le jeune. Jamais les pères ont été d'actualité comme à matin. Moi, je suis pas instruit pour te répondre ; je te répète des noms que tout le monde crie dans la rue. De mon petit savoir de l'école, j'ai retenu une chose : mes ancêtres venaient d'une terre à chefs-d'œuvre.

Le fils était secoué, mais continua :

— Toutes les races ont laissé des chefs-d'œuvre.

— Qu'est-ce que t'attends pour être fier, puisque c'est tes ancêtres qui en ont laissé le plus ? cria le père. Nos vieux venaient de France. J'ai tout dit. Le grand-père est malade : je vais aller le voir.

— Je suis loin de vous en empêcher.

— Je vais t'amener avec moi.

— Si vous me laissez libre, je préférerais ne pas me déplacer.

— Toi, Lonzo, je vais t'amener ?

Le père posait cette question à son fils plus jeune.

— Moi ?

— Oui, toi.

— Non, j'ai peur.

Et Alonzo se tenait sur sa chaise.

— Ça te gêne parce que tu es pas instruit ? demanda son père.

— C'est pas ça. J'aime mieux rester. Je suis pas prêt.

— C'est la gêne. J'aime bien ta gêne. Je vais y aller tout seul d'abord. Je vais mettre mes habits du dimanche, je vais me frotter comme il faut ; je vais arriver dans son village, content. C'est un grand vieux, lui ; je fais mon frais ici, mais c'est vrai qu'il est gênant. Il parle bien, sa tête est pleine de richesses ; ses enfants sont beaux.

— En quarantaine, ils doivent être moins beaux !

Raymond venait de parler. Le père le regarda en disant :

— Au retour, je te le dirai.

— Revenez pas avec la maladie, souhaita Raymond ironiquement.

Le père était sérieux :

— C'est pas leur maladie qui me fait peur, c'est la mienne. J'ai peur qu'il soit déçu de moi. Toutes les fois que je l'ai rencontré, ce vieux-là, je me suis senti comme un nain à ses côtés.

— Un nain en santé vaut un géant malade.

— Au retour, je te le dirai.

— Vous partez demain ? demanda Alonzo.

— Demain soir. Tu viendras me reconduire à la gare, Lonzo. Raymond, perds pas la lettre. Tu me la liras à midi, encore une fois, afin que je la comprenne toute, d'un bout à l'autre.

— Tant que vous voudrez, fit l'aîné avec indifférence.

— J'ai hâte de savoir ce qu'il attend de moi, songeait le vieux.

— J'ai hâte de vous voir revenu, dit Alonzo.

— Toi, Lonzo, tu l'as jamais vu, le grand-père ?

— Non. Sur les portraits de même, dans les livres, dans les cahiers de musique en passant, dans les coutumes, mais jamais en vie.

— C'est un grand vieux qui sait ce qu'il dit. Demain soir, je partirai. Puisqu'il m'a écrit, c'est grave. J'espère pas être en retard... Mais c'est impossible. Il est pas d'une race comme les autres, il a eu les pires maladies, il est toujours revenu *correct*.

— Tout à coup ils vous défendent de le voir ? s'inquiéta le plus jeune.

— Personne ne doit l'approcher à cause de la contagion ? insinua Raymond.

— Contagion ? J'ai ma passe, moi, je suis petit-fils. Je le verrai, crains pas, répondit le père. Même malade, c'est un honneur pour moi d'aller le visiter, de m'approcher de lui ; un honneur parce que c'est la France.

Et le petit-fils, qui était au Canada, rencontra son grand-père malade qui s'appelait Jean Noble.

Voici la rencontre :

— Grand-père...

— Petit... Ne prends pas ma main. C'est défendu !

— Lâchez-moi donc tranquille ! Donnez-moi votre main.

— Merci.

— Je suis venu.

— Tu es venu. Assieds-toi.

— C'est moi. Vous me reconnaissez ?

— Oui. Attends que je te regarde avec mes lunettes. Tourne ; oui, c'est toi, grandi, mûri encore depuis
la dernière rencontre. Excuse si je te reçois ici.

— Pourquoi excuse ? C'est parfait.

— J'aurais aimé qu'on me descende dans le petit
jardin à côté, on ne l'a pas permis.

— Ici on est bien.

— Tu es venu.

— C'est moi.

— Tes enfants ?

— Première classe.

— Ta femme ? La récolte ?

— Belle.

— Assieds-toi, dit le grand-père. Ne fais pas attention aux gens qui me guettent. Ce sont des gardiens, des
gardes-malades, des médecins, tout ce monde fou qui ne
me quitte pas une minute. Mais je veux tout oublier. Tu
es venu. Parle-moi de la paix ; je m'en ennuie tellement.
Tu es une image de paix, toi, tu as une bonne figure.
Regarde ma main si elle est blanche, comparée à la
tienne ; mais je guérirai, tu sais, je guérirai. Maintenant
parle. Moi, je ferme les yeux pour t'entendre. Prends le
temps qu'il faut. Allons lentement ; laisse l'esprit planer.
Je suis presque joyeux ; ma fièvre dort. Tu viens de loin :
montagnes, neige, immensité ; tu viens de si loin, petit-
fils, et tu me fais penser à moi lorsque j'étais plus jeune,
et que j'étais pèlerin. Parle.

— J'ai pas grand-chose à dire, répondit le père
avec respect ; je suis venu pour vous écouter.

— Oui, oui, ça viendra. Tout à l'heure. Pour débu-
ter, dis quelques mots, n'importe lesquels, dans ma langue. Fais-moi continuer. Dis des noms de villages. On ne
nous permet plus de les dire entre nous. Parle. Récite des

noms de familles, pêle-mêle avec des noms de rues de ta paroisse. Dis. Pour me désaltérer. Ici, l'on se parle par signes. Dis des noms français.

Le père pensa à son beau pays de Québec :

— Beauchamp, Bellerose, Normandie, Des Saules, Geneviève, Rosiers-blancs, alouette, perdrix.

— Encore, disait le grand-père.

— Brébeuf, Lalemant, Jogues, Garnier, Daniel, Chabanel, Goupil, Lalande.

— Comme c'est doux ! Tu n'es pas d'avis qu'elle est laide, cette langue ?

— Laide ? Jamais.

— Merci. Parle encore. Le nom de tes voisins.

Le père pensa à ses voisins, là-bas au village :

— Lamontagne, Laforêt, Labrise, Desjardins, Saint-Maurice.

— Comme c'est bon ! Prenons le temps qu'il faut. Tu n'es pas pressé ?

— Non.

— Tu as fait un bon voyage ?

— Oui.

— Ma lettre t'est parvenue quand ?

— Avant-hier.

— Et tu es venu tout de suite ?

— Tout de suite.

— Merci. Je ne t'ai pas fait venir pour rien, tu verras ; j'attends de toi de grandes choses, petit-fils.

— Je suis prêt. Depuis quelque temps, on recevait plus de vos nouvelles, on s'est douté qu'il y avait quelque chose ; plusieurs venaient s'informer chez nous.

— Vraiment ?

— Je répondais que je savais rien. Vous avez la sympathie de bien du monde dans mon village.

— Merci.

— Parlez-moi de vous maintenant ; il va falloir, à mon retour, que je raconte mon voyage.

— Je ne te raconterai pas toute ma maladie.

— Comment ç'a commencé, toujours ?

— Un microbe hypocrite que j'ai respiré dans l'air, qui s'est mêlé à mon sang, qui m'a donné la fièvre.

— Quelle sorte de microbe ?

— Un drôle de microbe, destructeur, tragique, envoyé de loin, qui m'a fait souffrir dans mon corps, et dans mon cœur aussi. Tu ne veux pas me dire, mais tu me trouves pâli, hein ?

— Un peu.

— Je l'admets ; il a été plus fort que moi ; mais petit à petit je le combats, et quand Dieu le voudra, je l'épuiserai.

— Ça s'enlève pas, ce microbe-là ? questionna le père.

— Il faut que ça fasse son temps, explique le vieux ; il m'oblige à réfléchir. Je vais te parler franchement : pourquoi aurais-je des cachettes avec mon petit-fils ? Écoute ma confession. Au début du malheur, je me suis révolté ; mais peu à peu j'ai compris que ce microbe venait d'en haut. Quand j'aurai fini d'expier, le microbe mourra de lui-même.

— Expier ?

Le visiteur du Canada se pencha :

— Mais vous êtes pas le seul coupable ; tout le siècle est coupable ; tous les pays, d'une mer à l'autre, moi avec ; pourquoi vous, plus malheureux qu'un autre ?

— Il n'y a pas de peuple heureux aujourd'hui, dit tranquillement l'aïeul. C'est l'heure de l'humiliation universelle. La matière ne sera pas plus forte, si l'univers veut s'humilier. Moi, avec ma grande plaie, je commence quand même à lever les yeux, et je vois la lueur. Je ne mourrai pas, que je te dis ; le soleil est trop beau parfois. La prochaine génération donnera une récolte comme jamais encore tu n'en as vu une ; parce qu'on m'a labouré le cœur comme jamais encore on a labouré un cœur d'homme. Cette fois-ci, la semence, c'est Dieu Lui-même qui la mettra en terre.

— La terre à chefs-d'œuvre.

— Toi, tu verras la moisson, parce que tu crois.

— Oui, je crois.

— Tu verras. En attendant, je suis malade ; je ne veux pas bouger d'ici ; on me défend de sortir ; on guette même mes yeux quand je regarde par la fenêtre ; et quand je regarde par la fenêtre c'est pour tâcher d'apercevoir dans l'ouest, par-delà la mer, l'autre France, la Nouvelle, la Jeune. Il y a si longtemps que je voulais te voir.

— Je suis à votre service, fit le père.

— Non, non. Pas de service, pas d'aumône. Je ne suis pas un mendiant, rétorqua le vieillard, je suis un malade. Je voulais savoir ce que tu étais, si tu pensais à moi, si tu t'ennuyais de moi.

— Oui, je m'ennuyais. Je recevais plus vos livres ; les dimanches étaient longs.

— Ici, on a brûlé mes peintures et mes livres ; on a émietté mon imprimerie ; on m'a presque attaché les mains ; on m'a volé ma terre et mes ouvriers ; on a verrouillé l'église ; on a fermé les grandes orgues. Ma langue et ma religion sont en deuil ; on ne chante plus comme avant, tu sais ; c'est dur. La rumeur de la ville n'est plus la même ; les voix d'enfants se sont tues ; ce qu'on entend, c'est le pas de la sentinelle qui monte la garde. Alors, par la fenêtre, je regarde souvent dans l'ouest et j'essaie de m'évader à travers le brouillard là-bas, vers chez toi, dans Québec, devines-tu ?

— Continuez, fit le père qui devinait.

— Petit-fils, réponds avec ton âme ; ma question est grave comme l'heure ; réponds à ceci : que fais-tu ? Me remplaces-tu vraiment, par intérim ?

L'autre réfléchit et dit :

— Grand-Père Noble, si j'avais pas d'amitié pour vous je vous mentirais ; vous voyez la sueur à mon front ? La vérité, on vous remplace par intérim. La vérité, on pense pas à ces choses-là. La vérité, je le sais plus ; vous venez de déchirer le voile. Vous vous êtes confessé franchement, moi aussi je vais me confesser. Vos paroles sont toutes neuves à mes oreilles ; puis je vois dans un éclair le vide immense de nos actions ; je vois ce qu'on devrait faire, ce qu'on fait pas ; ça passe devant moi comme un grand ciel gris. La vérité, nos hommes sont rares, on a des étincelles en polique, en littérature, en musique, en peinture, mais des feux clairs qui brillent, des feux de maître, ce qui s'appelle maître insatisfait, chercheur affamé, qui crie juste et droit, qu'aucun vent peut éteindre, on n'en a pas. On a des élèves contents d'eux autres, un petit peu noceurs, sans haleine, faciles à acheter. On a des désirs de beauté gros comme les montagnes, mais instables comme les nuages. La vérité : on se décide pas à vieillir, parce qu'on se décide pas à s'unir ; on est divisés ; on est craintifs ; on est chacun dans son coin comme des vaincus. Voilà la vérité. Pensez-vous qu'il est trop tard ?

— Puis c'est une terre à chefs-d'œuvre, là-bas.

— Une terre à chefs-d'œuvre, c'est vrai. Tout est neuf : l'inspiration, les décors, les sujets, puis notre histoire géante qu'on n'ose pas toucher parce qu'on est paresseux ; mais c'est peut-être une punition du bon Dieu d'être endormis, parce qu'on est indignes du passé. Je vais leur dire là-bas, je vais leur dire votre message ; mais par intérim, non : j'ai peur que ce soit trop pesant pour nos épaules. Vous dites petit-fils avec raison, je suis encore... un petit gars.

— Ça te décourage ?

— Non. Ça m'enrage.

— Alors tu n'es pas loin d'être un homme.

— C'est pour ça que vous m'avez fait venir ? demanda le père ; pour me raconter l'histoire de la fenêtre quand vous regardez par-dessus la mer ?

Le vieux fit signe que oui.

— Je voulais te voir pour le plaisir de te voir. C'est consolant.

— Vous auriez aimé ça, savoir qu'on cachait la France à notre manière dans Québec ?

— Oui.

— Bien, c'est pas vrai. Votre maladie, ça va être long encore ?

— C'est Dieu le Maître qui décidera. Maintenant, je le sais.

— C'est bouleversant ce que vous dites. Je vais leur parler de l'intérim, parce que, il y a pas d'erreur, ils vous aiment, ça ils vous aiment. Je suis sûr qu'ils vont ouvrir les yeux, que plusieurs vont se fâcher comme moi, vont renier le jeu pour entrer dans la salle de travail.

— Va leur dire que je pense à eux. Ajoute aussi qu'un jour, je serai guéri, aussi certain que je m'appelle Jean Noble. Et lorsque j'irai vous visiter il me ferait tellement plaisir, en passant dans les familles, dans les écoles, dans la rue, de reconnaître la France, celle qu'on a hachée en miettes et qui refuse toujours de mourir, parce que Dieu ne le permet pas. Va leur dire.

— J'emporte pas seulement les conseils, mais l'exemple que vous me donnez.

— Laisse-moi maintenant. Je suis étourdi un peu ; nous avons dit ce que nous avions à nous dire.

— Votre main.

— Petit-fils, ne regarde pas ma maladie, emporte mon amour et ma bénédiction.

— Je crois en vous, grand-père Noble, comme on croit à l'âme.

— Va... Merci. Va, va, c'est l'heure. Bonne chance...

* * *

De retour chez lui, le père ne parla pas. Un soir, ses deux fils s'approchèrent de lui.

— Vous ne semblez pas avoir fait un bon voyage, papa.

— Donne-lui le temps d'arriver, disait Alonzo.

— Ça fait deux jours. Vous parlez pas beaucoup, son père ?

— Non. Pas beaucoup.

— Vous l'avez vu?

— Oui.

— Bon. On peut savoir si le grand-père va mieux ?

— Lui, il y a pas de soin, dit-il ; il va guérir. Guette bien la génération française qui s'en vient, guette-la ; tiens ton siège solide ; si c'est pas un stimulant pour toi, ça en sera un pour d'autres.

— Tant mieux, ajouta Raymond.

— Mais, il y a pas rien que lui de malade.

— Qui est-ce qui est malade ? Moi, je me sens très bien.

— Tu es heureux comme tu es ?

— Certainement.

— Tu es malade. Toi Lonzo ? demanda le père à son deuxième fils.

— Je sens qu'on pourrait faire mieux qu'on fait, répondit celui-ci.

— Tu es un peu plus en santé. Moi, dit le père, je sens qu'on est de turbulents écoliers qui découpent des images comiques pour coller dans les livres de classe, par-dessus les beaux poèmes du pays. Pour être fous, non. On est pleins de tours. On parle avec bien des gestes, pour remplacer les mots qu'on sait pas ; on singe les étrangers ; on parade la fierté de n'importe quelle race, excepté la nôtre. On pose des questions, jamais de réponses. Sais-tu que pour punir un Français, on lui cache ses livres ? Ici, la même chose, on appellerait ça une récompense.

— Pas mal, souligna l'aîné.

— Pas mal, hein ? C'est la peur du ridicule qui nous force à porter des grandes culottes ; mais si on s'écoutait, on remettrait bien nos culottes courtes, pour faire des châteaux dans le sable avec nos mains. Châteaux de sable, châteaux d'Espagne, châteaux de rêves : les châteaux, c'est notre force. Il s'est brûlé bien du tabac en les bâtissant.

— Vous êtes tordant, fit Raymond. Vous avez dû avoir du plaisir avec le grand-père ?

— Le grand-père puis moi, on a ri, déclara le père. On se tenait les côtes. L'heure est à rire : on a ri. Tu veux t'amuser, mon garçon ? Bien, je vais t'en conter une bonne. Le grand-père voulait me voir, sais-tu pourquoi ? Pour nous donner sa place par intérim, parce qu'il est malade. La France est malade, sais-tu ce que ça veut dire ? Peux-tu prendre sa place, toi, Québec ? Te sens-tu les épaules assez épaisses pour continuer son travail ?

Pour t'embarquer sur le dos l'écrasante charge de culture qu'elle charroyait à travers l'univers ? As-tu le génie assez brillant pour qu'on voie ta lueur de bord en bord de la terre ? As-tu un de tes classiques à me montrer, qui vaut un des leurs ? Peux-tu compter avec des chiffres le nombre de chefs-d'œuvre que la France a produits ? Peux-tu compter les tiens sur tes doigts ? Récite-moi notre litanie d'hommes, de saints, de patriotes, de martyrs, d'administrateurs, de fondateurs, d'éducateurs ? Parce qu'on en a, hein ? Une longue liste, mais que tu peux pas nommer, ignorant ! Nomme-moi un enfant de ton âge qui sait notre histoire, qui applaudit ouvertement, à tour de bras, en voyant notre nom sur la carte ? Peux-tu prendre la place de la France par intérim ? Tu as pas envie de rire, c'est moins drôle, tu as pas son âge ; je le sais, mais au lieu de rire, travailles-tu ? Qu'est-ce que tu voulais que je réponde au grand-père ? Non. On peut pas vous remplacer par intérim, pas tout de suite, c'est épeurant, c'est trop lourd, on n'est pas prêt. Voilà ce que j'ai répondu. As-tu envie de discuter ?

Raymond était devenu sérieux.

— Non, dit-il.

— Moi non plus, fit le père. J'ai pas discuté. Si on est content tel qu'on est, plaignons-nous jamais, parce qu'un jour la France nous dira : Je vous ai offert ma place par intérim. On préfère l'escabeau à l'échelle, la colline à la montagne, la glissade à la montée, le vulgaire au chef-d'œuvre, la parole à l'acte, le conseil à l'exemple. On a peur de l'effort. On n'a pas de fierté parce qu'on est ignorants. Réponds. On a-t-y la chance aujourd'hui de faire quelque chose avec la même langue qu'eux autres, la même religion, la même souche ? Nomme-moi nos jeunes artistes qui récitent des classiques par cœur ? Nos jeunes écrivains qui restent à leur table douze heures par jour ? Nos étudiants pauvres jusqu'à l'âge de quarante ans. C'est souffrir qu'il faut. C'est quinze heures par jour qu'il faut travailler, c'est des livres qu'il faut lire. C'est prier qu'il faut, c'est s'aimer, s'est s'unir. Dans quinze ans d'ici, celui qui aura pas de valeur personnelle, aura de la misère à vivre. Crois-tu ça ? Dans tous les domaines, c'est la poussière qui lit tes livres. Dans la vie de chacun de nous autres, il y a autant d'heures stériles que de feuilles qui tombent des arbres, un soir d'octobre. C'est-y vrai ?

Raymond avait baissé la tête.

— C'est dur, mais c'est vrai, dit-il. Lonzo, c'est-y vrai ?

— C'est vrai.

— Voilà le voyage que j'ai fait, continua l'homme. Au bout du travail, il y a le chef-d'œuvre ; le grand-père m'a dit qu'ici, c'était une terre à chefs-d'œuvre. Quand il sera guéri il va venir ; j'espère qu'on aura quelque chose à lui montrer qui lui fera plaisir, quelque chose d'un maître, qui le fera pleurer, qui hâtera sa convalescence. Il a de l'allure encore plus qu'on pense dans son malheur, surtout dans son malheur. Je vous souhaite de porter son nom aussi loin qu'il l'a porté, Jean Noble. Bonsoir.

Et il s'en alla. Les deux fils restèrent seuls, l'un devant l'autre.

— Qu'est ce que tu en penses ? dit Raymond.

— Il a raison, répondit le plus jeune.

— Peux-tu faire des chefs-d'œuvre, toi ?

— Si je travaillais la terre plus avec ma tête qu'avec mes bras, oui.

— Moi, dit l'aîné, penses-tu que je suis capable ? Si j'étudiais plus avec mon cœur qu'avec mes lèvres ?

— Pourquoi pas ? demanda son frère.

— Par intérim ! Comme c'est triste ! On manque notre chance.

Raymond songeait à son tour.

— Il n'est peut-être pas trop tard, dit Alonzo.

— Tu crois ?

— On sait jamais.

— Disons que ce soir le Canada doit remplacer la France par intérim, c'est impossible, c'est trop immense.

— On peut toujours faire une petite surprise au malade ?

— Sérieusement, si l'on s'y mettait, ça peut tourner au chef-d'œuvre.

— Pourquoi pas ? Ici, c'est de la terre à chefs-d'œuvre.

— N'en parlons plus, trancha l'aîné qui était pâle et décidé. Faisons une surprise au malade.

Bibliographie

Œuvres

Adagio, contes. Montréal, Fides, 1943, 204 p.

Allegro, fables. Montréal, Fides, 1944, 195 p.

Andante, poèmes. Montréal, Fides, 1944, 158 p.

Pieds nus dans l'aube, roman. Montréal, Fides, 1946, 242 p.

Dialogues d'hommes et de bêtes, théâtre. Montréal, Sao Paulo, Paris, South Bend, Fides, 1949, 217 p.

Théâtre de village. Montréal et Paris, Fides, coll. « Rêve et Vie », 1951, 190 p.

Le hamac dans les voiles. Contes extraits d'*Adagio, Allegro* et *Andante.* Montréal et Paris, Fides, 1952, 141 p.

Moi, mes souliers... Journal d'un lièvre à deux pattes. Préface de Jean Giono. Paris, Amiot-Dumont, 1955, 226 p.

Le fou de l'île, roman. Paris, Denoël, 1958, 222 p.

Le p'tit bonheur suivi de *Sonnez les matines,* théâtre. Montréal, Beauchemin, 1959, 153 p.

Le calepin d'un flâneur, maximes. Montréal et Paris, Fides, 1961, 170 p.

L'Auberge des morts subites, comédie en deux actes. Montréal, Librairie Beauchemin, coll. «Théâtre de Félix Leclerc», n° 3, 1964, 203 p.

Chansons pour tes yeux, poésie. Paris, Robert Laffont, 1968, 120 p.

Cent chansons, poésie. Montréal, Fides, coll. « Bibliothèque canadienne-française », 1970, 255 p.

Carcajou ou le Diable des bois, roman. Paris, Robert Laffont et Montréal, Éditions du Jour, coll. « Les Romanciers du Jour », 1973, 264 p.

L'ancêtre, poème. Châteauguay, Éditions Michel Nantel, 1974, 16 p. Illustrations de René Derouin.

Qui est le père? théâtre. Présentation de Jean Royer. Montréal, Leméac, 1977, 128 p.

Le petit livre bleu de Félix ou le Nouveau calepin du même flâneur, maximes. Montréal, Nouvelles Éditions de l'Arc, 1978, 302 p.

Le tour de l'île. Illustré par Gilles Tibo. Montréal, La courte échelle, 1980, [n.p.].

Le choix de Félix dans l'œuvre de Félix Leclerc. Notre-Dame-des-Laurentides, Presses Laurentiennes, coll. « Le choix de... », 1983, 79 p.

Rêves à vendre ou Troisième calepin du même flâneur. Montréal, Nouvelles Éditions de l'Arc, 1984, 250 p.

Dernier calepin, maximes. Montréal, Nouvelles Éditions de l'Arc, 1988, 196 p.

Études (choix)

BOIVIN, Aurélien, « Les contes de Félix Leclerc. Une symphonie en trois mouvements », dans *Les adieux du Québec à Félix Leclerc,* Montréal/Notre-Dame-des-Laurentides, Guérin littérature/Presses Laurentiennes, 1989, p. 11-33.

GAUVIN, Lise, « *Adagio,* recueil de contes de Félix Leclerc », dans Maurice LEMIRE (dir.), *Dictionnaire des œuvres littéraires du Québec,* t. III : *1940-1959,* Montréal, Fides, 1982, p. 9-11.

Table des matières

AGMV Marquis

MEMBRE DE SCABRINI MEDIA

Québec, Canada
2005